*Es suyo
a la orden...*

UN
LUGAR
TRANQUILO
EN MEDIO
DE UN
MUNDO
LOCO

JONI EARECKSON TADA

EDITORIAL
UNILIT

MIAMI, FL. 33172

Publicado por
Editorial **Unilit**
Miami, Fl. 33172
Derechos reservados

Primera edición 1995

© 1993 por Joni Eareckson Tada
Publicado en inglés con el título de:
A Quiet Place in a Crazy World
Multnomah Books a part of the
Questar publishing family.
Sisters, Oregon 97759

Traducido al español por: Mónica Goldenberg

Citas bíblicas tomadas de: La Santa Biblia, Revisión 1960
© Sociedades Bíblicas Unidas.
Usada con permiso.

Producto 498598
ISBN 1-56063-637-8
Impreso en Colombia
Printed in Colombia

A Mary Lance Sisk y Bunny Warlen

Mary Lance— Cuando le pedí a Dios
«enséñame a orar», El… te envió a ti.
Como mi instructora, me has enseñado que la oración
significa tener intimidad con Dios;

y

Bunny— ¡Qué pasión tienes por Cristo
al creer que la oración no es ningún esfuerzo,
y sí un gozo! ¡Y qué alegría le debes estar
dándole al Padre cuando oras!

Reconocimientos

Aquellos pensamientos inolvidables jamás se debieran olvidar.

Cuando releo el manuscrito de este libro, me doy cuenta de las historias sin tiempo e ingeniosas percepciones de algunos de mis amigos y autores favoritos. Usted también notará que Charles H. Spurgeon, a través de sus inolvidables sermones, ha sido de inspiración para este libro. Si yo hubiera sido contemporánea suya, me hubiese sentado en la primera fila de su iglesia cada domingo. Es por ello que debo agradecerle a Baker Book House por «mantener vivo a Spurgeon», publicando sus *Twelve Sermons on Prayer*. Le agradezco también a Zondervan Publishing House y a Steve Estes porque la agudeza compartida en *A Step Further* continúa impactando a los nuevos y diferentes lectores que disfrutan con este libro.

Los lectores que están familiarizados con mi trabajo reconocerán también algunos pensamientos de mi anterior libro: *Secret Strength*.

Vaya mi agradecimiento a mis amigos de Questar por rescatar este manuscrito, el cual originalmente apareció con el título de *Seeking God: My Journey of Prayer and Praise*. De no haber sido por ellos, *Seeking God...* se hubiese perdido entre tantas otras adquisiciones publicitarias. Agradezco a Questar por ayudarme a extender y reimprimir el libro bajo un nuevo título.

Finalmente, les agradezco a Bev Singleton, Larry Libby y Shari MacDonald por colaborar en el estilo de mis palabras. Por último, doy gracias por las oraciones de la gente.

Contenido

Un lugar apartado . . .

Dios se encuentra con nosotros en *lugares*.

¿Has pensado en ello alguna vez? El nos creó como personas que viven en un tiempo y un espacio. Y Dios, que es eterno, todopoderoso y omnipresente, es condescendiente para encontrarse con nosotros en cierto lugar y a determinada hora.

El admirable Creador del universo debe ajustarse a una hora determinada en *mi* agenda.

¡Y lo maravilloso es que lo hace! Siempre lo ha hecho a lo largo de los siglos.

El se paseaba con Adán en la frescura del jardín.

El peleó con Jacob durante la larga noche en el arroyo de Jaboc.

El consoló al fugitivo David en la húmeda cueva de Adulam.

El estaba al lado de los sufrientes padres en el aposento alto, a los pies de la cama de su hija muerta (¡aunque pronta a ser resucitada!)

El estuvo al lado de sus discípulos en medio de la noche tormentosa en el lago.

El se encuentra con nosotros *en cualquier lugar*.

No hay ningún lugar en el cual El no esté. El espera en cada habitación a la que vayamos a entrar. El está parado silenciosamente en el fondo de cada ascensor al que estemos por ingresar. El está en cada recodo del sendero por el que pasaremos. El está en la cocina a oscuras cuando nos levantamos de noche a buscar un vaso de leche. El está en la sala de recuperación cuando se nos está yendo el efecto de la anestesia. En una ruta larga y polvorienta, El está debajo del árbol en el que nos detenemos a descansar. No hay un lugar tan remoto, ni una noche tan negra, ni una cueva tan profunda, ni una montaña tan alta que impida la inmediata, asombrosa, penetrante y amorosa presencia del Señor, nuestro Dios.

Así es. El se encuentra con nosotros *en cualquier lugar*, pero El también se encuentra con nosotros en *un lugar*.

Alguien dijo en una oportunidad:

«Puedo orar en *cualquier* parte, en *todo* momento, porque puedo orar en *cierto* lugar, en *determinado* momento». Existe un lugar especial, específico para encontrarse con Dios; así como el dormitorio nupcial es para los novios: un lugar sagrado y venerado. Es el lugar de costumbre, donde siempre nos encontramos con El. Hay un lugar que es el más sagrado en nuestro encuentro con El, ya sea de rodillas al pie de la cama ortopédica, o en el asiento de conductor, o con las manos sobre la baranda de la cuna donde duerme el bebé... Hay «un lugar» para encontrarnos con Dios que es más sagrado y especial para cada persona que todos los demás lugares.

Para mí, ese lugar es mi dormitorio.

Ese es el pequeño reducto en este planeta giratorio donde siempre me encuentro con Dios. En cuanto entro a mi cuarto y veo la luz de la lámpara, las cobijas retiradas y las almohadas sobre la silla, se produce en mi mente la respuesta de Pavlov. *Llegó el momento de orar.* Este no es sólo el lugar donde duermo ocho horas sino que es también el lugar donde Dios se encuentra conmigo.

Todos necesitamos de lugares así. Necesitamos cámaras sagradas en las inestables estructuras de nuestras vidas. A medida que desarrollamos el hábito de encontrarnos con Dios, en cierto lugar y en determinado tiempo, comenzaremos a ver cómo El abre lugares de encuentro en cualquier parte; todo el tiempo. Aquel «orad sin cesar» se convierte en una forma de ver todos los lugares como sitios de encuentro con el Señor. Interjecciones santas.

Cuando era pequeña, cierto día fui de visita a la casa de mi tío Vicente, en la costa este, cerca de Easton, Maryland. Una tarde, tío Vicente (quien en realidad era un primo mayor) me llevó arriba para mostrarme su «cuarto de oración».

Recuerdo que pensé:

> *«Esto es extraño; demasiado riguroso. Dios debería encontrarse con tío Vicente en el campo de golf, o como lo hace conmigo cuando salgo a cabalgar, o cuando salgo a caminar con papá. ¡Qué extraño que tío necesite este cuartillo!»*

El sagrado cuarto de tío Vicente no era de mi agrado. El había encontrado unos vidrios manchados pertenecientes a una antigua iglesia de Easton y se había hecho con ellos unas ventanas verticales altas y había colgado unos tapices viejos en la pared del fondo. El lugar tenía un reclinatorio con una Biblia abierta.

A mi me pareció tan extraño aquello, tan anticuado y sofocante... No me atraía para nada. Pero años más tarde, mirando hacia atrás, me encontré a mí misma pensando: *qué sabio fue mi tío en tener un lugar para encontrarse con el Señor durante tantos años.*

Probablemente esa haya sido la razón por la cual él *podía* orar en el campo de golf y cuando salía a dar un paseo con nosotros. Tío Vicente se encontraba con Dios en cualquier parte porque él tenía un lugar específico de encuentro.

¡Cómo necesitamos tener un lugar así!, ...un lugar apartado...

...en un mundo loco

Este *es* un mundo loco.

Mira tu piso, que no necesita cera pero que tienes que encerarlo constantemente... o los caños oxidados debajo la pileta de la cocina que se ponen color naranja en menos de un año... o el lavarropas de buena marca que nunca necesita reparaciones, pero se le rompe la correa a cada rato.

Es una locura.

Los comerciales de televisión de la revista *Self* y los corpiños Playtex auspician las masacres en Bosnia. Un niño discapacitado es abandonado para que muera por inanición en una unidad neonatal, mientras que a miles de kilómetros de distancia una pareja va de un lado a otro para adoptar un chico... cualquier chico.

Se gastan millones de dólares para proteger los huevos de pájaros de una especie en peligro, mientras que los bebés humanos son abortados al tercer mes de gestación. Esposas golpeadas se estampan una sonrisa mientras se visten para ir a la iglesia. Una niña menor de doce años escribe en su diario: «Papi anoche me quitó la inocencia».

Todo es una locura.

He visto la crueldad y la enfermedad del hombre en lugares como Bucarest, Manila, Quito... Auschwitz.

Comenzó en Edén cuando el hombre y la mujer eligieron separarse de la compañía de su Creador. En cualquier lugar en que el hombre tome control reina el caos y la oscuridad. Es una locura que malogra la belleza, enturbia la paz y trae dolor, injusticia, crueldad y abandono. Es una locura que atrapa al inocente, destruye los sueños y apaga la luz de la esperanza en las jóvenes vidas.

Pero este sigue siendo «el mundo de mi Padre».
El resplandece en todo lo que es bello,
lo oigo pasar
en el crujiente césped.
El me habla en cualquier lugar.

En su venida, el Señor Jesús santificó este mundo herido y loco. El respiró el aire de la tierra y sintió la calidez del sol; tomó agua fresca y anduvo por sus polvorientos caminos. El suelo terrestre bebió a gotas el sudor divino, sus lágrimas y su sangre.

El Espíritu Santo, sabio y bondadoso Consolador, está aquí. El habla a través de su Palabra; resplandece a través de las vidas de innumerables creyentes en todo el mundo.

Este es un mundo loco.

Mantenemos horarios locos.

La vida corre a una velocidad increíble.

Las enloquecidas olas de las circunstancias nos abaten, nos saturan, amenazan con ahogarnos.

Pero Dios sigue estando con nosotros...
no importa dónde nos encontremos en la vida, aunque estemos en medio de la locura. Y en cualquier lugar, en todo momento, podemos volvernos hacia El, caminar con El, hablar con El, oír su voz, sentir su mano y experimentar –aunque más no sea por un momento– la fragancia del cielo.

Es una isla de salud en medio de un mar de confusión.

Es un lugar apartado.

Y es nuestro

Cada vez que levantamos la mirada hacia nuestro Padre, cada vez que buscamos su mano,
cada vez que acallamos nuestro espíritu
para escuchar su voz,
hemos encontrado un lugar de refugio
que este mundo loco no puede quitarnos.

Joni Eareckson Tada
Agoura Hills, California.

Capítulo uno

Un lugar de búsqueda

Mas si desde allí buscares a Jehová tu Dios, lo hallarás, si lo buscares de todo tu corazón y de toda tu alma.
Deuteronomio 4:29

*E*ra una clara y fresca noche de otoño. La reunión del campamento se llevaba a cabo en el salón del centro de conferencias del hotel, en un puente antiguo formado naturalmente al final de la calle. Me senté en una silla metálica plegable en el fondo de la vieja estructura, escuchando al predicador que hablaba acerca del amor y la provisión de Dios. Estaba describiendo el Evangelio, pero su punto de referencia eran los Diez Mandamientos.

LUGAR:
Retiro de Young Life High School, Natural Bridge, Virginia.
MOMENTO:
Noviembre de 1964

Jamás me olvidaré su desafío: «Muchachos, lo que quiero que hagan es que midan su propia vida con los mandamientos, a medida que voy hablando de ellos».

Repasé algunos en mi mente. Yo no sabía lo que significaba «levantar falso testimonio» y no estaba casada, por lo tanto, no había cometido adulterio. Pero sabía muy bien que mi vida estaba decayendo.

En lugar de caer de rodillas en arrepentimiento, me enojé. ¡Qué desagradable era que Dios nos diera un conjunto de reglas y leyes que no podíamos guardar! Poniéndome el suéter sobre los hombros, me fui de la reunión pensando: «Esto es ridículo. No puedo cumplir esos mandamientos. ¡Nadie puede hacerlo!»

Salí del húmedo y mohoso salón a la fresca noche otoñal, resplandeciente de estrellas. Ascendiendo por el oscuro sendero que llevaba hacia las cabinas, arriba de la montaña, encontré una roca grande y chata en un claro y me senté.

Recostándome hacia atrás, levanté la vista hacia la vasta bóveda estrellada, más allá de los oscuros pinos. Recuerdo que intenté recomponer todo. Fue un esfuerzo consciente por llegar verdaderamente al fondo de este asunto del Evangelio.

«¿Qué es todo esto de buscar a Dios? ¿Cómo encaja todo esto? El nos da mandamientos que sabe que no podemos cumplir. Y a pesar de eso, ¡El espera perfección! Jesús vino al mundo, y como era Dios, cumplió todos los mandamientos. El vivió una vida perfecta. Entonces, al final, lo tomaron y... ¡Ya! ¡Claro!»

Fue como si se me hubiera prendido la lamparita. «¡Sí! ¡De eso se trataba la cruz! ¡Por eso fue que tuvo que morir!»

Dios se acercó a mí en ese lugar, en una roca bajo las estrellas, y tocó mi mente. Las piezas del rompecabezas se unieron y entendí la necesidad que tenía de un Salvador. El se encontró conmigo en mi lugar de búsqueda.

Poco menos de tres años más tarde, El se encontró de nuevo conmigo en otro lugar de búsqueda. Solamente que este segundo encuentro no fue para resolver un rompecabezas mental. Fue como tomar una soga colgando en un pozo sin fondo.

Es difícil ser adolescente. Es aun más difícil cuando tienes diecisiete años y enfrentas la vida sentada en una silla de ruedas.

*R*ecibo muchas cartas de jóvenes de trece, catorce y quince años, y muchos de ellos, honestamente, sienten que deben acabar con todo. Simplemente, se les hace muy difícil aceptar el hecho de que un accidente los ha dejado paralizados o ciegos.

Aunque hace muchos años que tuve esa edad, todos esos sentimientos y recuerdos están tan frescos como si hubieran sucedido ayer. Tal vez eso se deba a que «la vida sobre mis pies» se detuvo a los diecisiete, cuando me quebré el cuello en una zambullida.

LUGAR:
Universidad del hospital de Maryland
MOMENTO:
Octubre de 1967

La parte más difícil de esos días en el hospital fue mantener mi reputación como creyente cuando la gente venía a visitarme. Sentía que la gente esperaba que pusiera «cara de felicidad». Trataba al máximo, pero no podía. Mi fracaso me hacía sentir más culpable aun, desilusionando a mis padres, mi pastor y a mis amigos cristianos. En mi nueva condición de accidentada, súbitamente me di cuenta que había mucho más en esos versículos bíblicos que había aprendido en la escuela dominical. Romanos 8:28 –«Todas las cosas ayudan a bien»– me había servido cuando estaba de pie. Por supuesto, mi mayor problema en esos días era transpirar en la clase de gimnasia haciendo cincuenta flexiones, o pelearme con mi hermana cuando ella usaba mi ropa. Lo más dificultoso era quedarme levantada hasta tarde estudiando para un examen de álgebra.

Todos esos versículos bíblicos, ¿podría aplicarlos ahora, cuando debía permanecer sentada en una silla de ruedas? No estaba muy segura.

En el hospital me sentía como que me estaban dando grandes dosis de «crecimiento» y yo no quería ni una.

Pero una noche, acostada boca abajo en la oscuridad,

cuando todos se habían ido, me sumergí hasta el punto más bajo. Durante varios días les había rogado a mis amigos que me dejaran suicidar, pero no lo hicieron. Les había pedido las pastillas para dormir de sus madres o las hojas de afeitar de sus padres, pero no me las trajeron. ¡Estaba tan desvalida que ni siquiera podía matarme!

¡Deseaba tanto morirme…!, pero Dios no me dejaba. Tenía que vivir. Pero…, ¿cómo? Desde la negrura de mi desesperación, de pronto me encontré a mí misma orando: «*Dios, si no puedo morir, por favor, muéstrame cómo vivir*». Fue una oración corta y precisa, pero originada en lo más profundo de mi alma.

A los catorce años, en aquella roca de Natural Bridge, en Virginia, en cierta manera creí que le estaba dando algo a Dios al responderle. «*Aquí estoy, Dios. ¿No eres afortunado?*» Como si le estuviese haciendo algún gran favor al abrirle mi vida a su misericordia.

Pero ahora, boca abajo en una cama de hospital en medio de la noche, sabía que no tenía «nada» para darle. Nada de nada.

Las cosas no cambiaron durante la noche, pero con esa sencilla oración mi manera de verlas comenzó a cambiar. Tomé conciencia que el «crecimiento» era algo que iba a tener que aprender a hacer. Tendría que aprender cómo hacer lo imposible… vivir en una silla de ruedas.

Tu lugar de búsqueda puede ser muy diferente al mío. Tal vez tú no estés acostado boca abajo en una cama de hospital. Pero tus luchas son auténticas. Puede ser que no tengas la fortaleza de decirle a Dios mucho más que una sencilla oración, como «muéstrame cómo vivir». Pero Dios no está esperando una sarta de palabras bonitas. El puede tomar ese simple deseo de tu corazón y ayudarte a encontrar fuerza por el poder de la oración.

El Salmo 34:18 dice: «Cercano está Jehová a los quebrantados de corazón; y salva a los contritos de espíritu». No vas a cambiar de la noche a la mañana con esa simple oración, pero ahora mismo puedes pedirle a Dios que te enseñe cómo vivir. Ora sintiéndolo. Y luego observa el cambio en tu manera de ver de las cosas. Vas a comenzar a vivir lo imposible.

LA ORACION MUEVE A DIOS

Se dice que la fe mueve montañas, pero la oración mueve a Dios. ¿No es asombroso que nuestras oraciones, ya sean grandilocuentes o débiles, puedan mover el corazón del Dios que creó el universo? Debemos hacer una realidad el caminar con Dios, y de eso trata este libro: de encontrar un lugar apartado –física y espiritualmente– donde puedas encontrarte con Dios y tener *comunión* con El, en medio de tu alocado mundo.

La oración mueve a Dios, y cuando Dios se mueve en tu vida ¡las cosas se ponen emocionantes! Hace algunos años ni hubiera soñado conque Dios se movería en mi vida de la manera en que lo hizo. Aun después de mi accidente, cuando me anoté en la Universidad de Maryland para tomar clases de arte e inglés, no me di cuenta cómo Dios usaría eso para moldearme a su voluntad, aunque sentía que El me estaba preparando para algo. El comenzó a encontrarse conmigo en un lugar apartado, en mi cuarto; un lugar tranquilo en mi corazón donde todavía hoy nos encontramos. Tú también dispones de un lugar apartado y tranquilo donde puedes encontrarte con Dios, lo hayas descubierto o no. Es allí donde puedes encontrar refugio en medio de las tormentas de la vida; es allí donde puedes encontrar paz en medio de toda la locura; allí encontrarás el poder de la oración.

No soy perfecta; todavía estoy aprendiendo acerca de la oración. Dios continúa revelándome su plan para mí y El y yo todavía estamos juntos en esta aventura de vivir. He aprendido algunas lecciones que me gustaría compartir contigo con la esperanza de que tu vida de oración se enriquezca.

LA IMPORTANCIA DE LA ORACION

Creo que soy una buena muestra para ilustrar la importancia de una saludable vida de oración. Mi mente tiene algunas grandes ideas para darle a mis piernas y a mis manos, pero ha habido una interrupción en la comunicación... mis manos y mis piernas no pueden realizar lo que mi mente les ordena. Colosenses 2:19 describe a los hombres, diciendo que no están asidos a «la Cabeza, en virtud de quien todo el cuerpo, nutriéndose y uniéndose por las coyunturas y ligamentos, crece con el crecimiento que da Dios».

Un cuerpo de creyentes espiritualmente saludables debería tomar las instrucciones de Cristo –la Cabeza– así como, de igual manera los creyentes individualmente debieran mantener la comunicación con Cristo. Sin comunicación con la Cabeza, que es Cristo Jesús, crecemos ineficazmente y con los músculos espirituales atrofiados.

La oración es el eje de la comunicación. La oración es la pausa que da poder. Es el arma que nuestro enemigo, el diablo, no puede copiar o falsificar. No se mide por su extensión sino por su intensidad. La oración efectiva no requiere un doctorado, sólo requiere la voluntad de compartir tus pensamientos con Dios. Es la buena predisposición a dejarlo compartir sus pensamientos contigo.

MANTENIENDOSE EN LA VERDAD

Una de las grandes cosas de la oración es que te da algo de dónde depender..., algo de donde agarrarte.

¿Alguna vez te agarraste de algo, creyendo que tu vida dependía de eso? Yo lo hice. Cuando tenía cuatro años acostumbraba montar a caballo con mi familia. No estoy hablando de sentarse en un pony para dar una vueltita en el parque de diversiones. Estoy hablando precisamente de cabalgar, ascendiendo y descendiendo por las laderas de las montañas silvestres, atravesando pastizales, saltando cercas y arroyos. Cabalgatas verdaderas.

A los cuatro años era muy pequeña para tener mi propio caballo y, de todas maneras, no creo que un pony se adecuara para una niña de cuatro años que andaba junto a su padre y sus hermanas. Así que cuando íbamos a cabalgar, yo me sentaba detrás de mi padre en su caballo grande. Con mis delgadas manos me aferraba a su cinturón y ¡allá íbamos! Yo saltaba en la montura, me resbalaba para uno y otro lado, pero en la medida que estuviese bien aferrada a su cinturón, sabía que estaba segura.

Ese recuerdo lo tuve recientemente al leer Efesios 6, esa porción de la Escritura donde Pablo habla sobre la armadura de Dios. Pablo nos habla de ponernos la coraza de justicia y el yelmo de la salvación y tomar la espada del Espíritu.

Pablo menciona una parte muy importante de la armadura en el versículo 14: «Estad, pues, firmes, ceñidos vuestros lomos con (*el cinturón de*) la verdad» El cinturón de la verdad, especialmente en la oración, es como el fundamento. Nos lo colocamos antes de ponernos otra cosa y si queremos que lo demás quede agarrado, tiene que ser del cinturón de la verdad. La Biblia dice que debemos acercarnos a Dios «en espíritu y en verdad» (Juan 4:24).

¿Otra forma de decirlo?

Acercarse a Dios en oración con corazón sincero.

Ahora no soy muy diferente de cuando era niña.

Cuando las cosas se complican y me siento como saltando sobre la montura, de arriba para abajo, sé que delante mío tengo el cinturón. Hay verdades acerca de Dios de las cuales puedo aferrarme.

Dios está en control.

El me lleva por el camino que ha trazado.

Nada de lo que no esté en su plan me puede tocar.

El es un apasionado por mi más alto bienestar.

Su gracia abundante me sustenta.

La locura pasará. El me llevará a través de ella. Hay un final a la vista.

Estas son las hebras con que está hecho el cinturón de la verdad, y yo sé que mientras me aferre a él, estaré a salvo. Mi mundo no será tan loco. Ese es el increíble poder de la oración.

*J*ob estaba bien aferrado al cinturón de la verdad. Su historia ha sido siempre de gran inspiración para mí. Algunas personas dicen que el libro de Job trata de su enloquecido mundo de sufrimiento. Otros dicen que es una historia de fe, de la soberanía de Dios o de la relación entre Dios y el diablo, pero yo creo que el libro de Job trata de la oración. Consideremos el clamor de Job:

«¡Quién me diera el saber dónde hallar a Dios! Yo iría hasta su silla. Expondría mi causa delante de él, y llenaría mi boca de argumentos. Yo sabría lo que él me respondiese, y entendería lo que me dijera» (Job 23:3-5).

Lugar:
La casa de Job en tierra de Uz.
Momento:
En época de los patriarcas.

Tú conoces la historia de Job. El era un hombre justo y recto; un hombre bendecido por Dios. Tenía siete hijos y tres hijas y era dueño de siete mil ovejas, tres mil camellos, quinientos bueyes, quinientas asnas y tenía muchísimos criados. La Biblia nos dice que «era aquel varón más grande que todos los orientales» (Job 1:3).

Job era un hombre de Dios para sus hijos, un hombre humilde entre sus vecinos y el sacerdote de su extensa familia. Entonces, Satanás lo tuvo en la mira. Job se sintió como el blanco de un ataque cósmico de dardos entre Dios y el diablo. Su propiedad fue robada o destruida y su familia muerta. El se cubrió de llagas y se sentó sobre un montón de cenizas, rodeado por las críticas de sus amigos y de su esposa regañona. Tenía mucho para conversar con Dios.

LA REACCION CORRECTA DE JOB

Los amigos de Job estuvieron siete días a su lado, acompañándolo en silencio, en medio de su dolor. Pero luego comenzaron a inquirir.

—Vamos, Job —le decían, —seguramente has hecho algo terriblemente malo y Dios te está disciplinando. ¡Anda! ¡Dinos de qué se trata!

Entonces Job oró. Prestemos atención a su oración. El no oró: «¡Oh, que me cure de estas llagas!», u: «¡Oh, si tuviese de vuelta a mis hijos!», ni siquiera dijo: «¡Oh, si mis amigos y mi esposa desaparecieran de mi vista!» En su lugar, lo que Job ansiaba era ver el rostro del Padre y sentir su sonrisa. El manifiesta su anhelo en el capítulo veintitrés cuando dice: «¡Quién me diera el saber dónde hallar a Dios...! Expondría mi causa delante de él... y entendería lo que me dijera».

Esto parecería no encuadrar, pero pensemos: ¿Qué se obtiene cuando se exprime una naranja? ¿Jugo de naranja? Tal vez, si nadie la exprimió antes. ¡Cuando tú exprimes una naranja, lo que sale es lo que tiene adentro!

¿Qué sucede cuando la vida «exprime» a un cristiano? Lo que aparece es lo que hay adentro. Un hipócrita o simplemente alguien que aparenta ser un hijo de Dios, se resiente ante la aflicción y corre en los momentos de prueba. Se manifiestan su cobardía y simulación. Un cristiano centrado en sí mismo puede reaccionar quejándose por un tiempo, pero luego la aflicción lo hará caer de rodillas. Entonces su corazón será vaciado del egoísmo y resentimiento, tornándolo más apto para acercarse a Dios como un hijo que busca a su padre.

Algunos cristianos tratan a Dios como si fuera una especie de agente de seguros. En los momentos difíciles esperan que El les reintegre un cheque por la pérdida sufrida.

En vez de esperar que cambie sus circunstancias para mejor, le retiran la comunión. Las dificultades de la vida revelan su falta de sumisión y su actitud porfiada.

El instinto de un hijo de Dios nacido de nuevo es el de buscar refugio bajo las alas del Admirable. La tendencia a quejarse o a creer que Dios nos debe algo, no es espiritual. Cuando el mundo de un hijo de Dios se viene abajo, el instinto lo lleva a decir con Job: «¡Quién me diera el saber dónde hallar a Dios!»

Job ansiaba estar en la presencia de Dios. Dios no lo había dejado, no había dejado de proteger a su hijo, pero Job sentía como que había perdido la sonrisa de Dios: «¡Quién me diera el saber dónde hallar a Dios!»

¿Alguna vez respondiste de la manera igual que Job? ¿Si?, has sido obediente; no fuiste en dirección opuesta. Y no fuiste egoísta ni exigiste una explicación de parte de Dios antes de adorarlo. Ansiabas su sonrisa. Deseabas ver su rostro en las nubes tormentosas. Tu corazón te dolía al clamar: «¡Quién me diera el saber dónde hallar a Dios!»

Ese era el dolor del corazón de Job. Aun en desesperación y desolación el deseo de Job era buscar a Dios. ¡Y que corazón listo para la oración tenía él! ¿Por qué? Porque no se soltó de aquellas verdades que sabía acerca de Dios. Y fue ese Dios admirable y la verdad de su Palabra el deseo del corazón de Job.

¡Qué mejor manera de comenzar tu viaje espiritual de oración y alabanza que deseando a Dios!

TU LUGAR APARTADO...

La oración es comunicación con Dios. Nada más. ¿Y qué es lo que nos pide al acercarnos a El para orar? Sinceridad. Autenticidad. Honestidad. Un corazón bien dispuesto. Y, por favor, recuerda lo siguiente: ¡cuando lo buscamos en verdad, El escucha! Existe una sola reacción que puedes obtener de un amor tan grande. De hecho, ¿por qué no oras ahora mismo?

«Oh, Señor, si tuviera que ser completamente honesto contigo, tendría que admitir que frecuentemente corrí en dirección opuesta cuando los problemas me acosaron. A veces he sido un hipócrita de primera clase. Pero, como Job, quiero encontrarte. Quiero sentir tu sonrisa. Ayúdame para que ese sea el deseo de mi corazón. En el nombre de Jesús.»

¡Felicitaciones! Estás en camino. Ahora tu corazón está preparado para encontrarte con Dios en oración.

Capítulo dos

Un lugar de refugio

El que habita al abrigo del Altísimo,
morará bajo la sombra del Omnipotente.
Diré yo a Jehová: Esperanza mía y castillo mío;
mi Dios en quien confiaré.
Salmo 91:1-2

*¿P*uede atemorizarnos la belleza? Si no sientes un frío corriéndote por la espalda en una clara mañana en el lago George, es mejor que te hagas revisar el pulso.

LUGAR:
En un bote de remo,
en el lago Mammoth,
California
MOMENTO:
Agosto de 1981

El sol resplandecía como un despeñadero de cristal en aquel brillante cielo azul intenso. A lo lejos, la luna colgaba en el horizonte. En el claro y límpido aire esas figuras parecían tener contornos cortados a filo de cuchillo. El sonido traía desde lejos el ruido de los remos, el ruido de dos pescadores en la orilla distante y el suave golpeteo de las olas contra el costado del bote. Y sobre todo, el profundo y penetrante ruido –más sentido que oído– del viento golpeando contra los miles de acantilados.

El lago George es una gran depresión de agua clara, fría, de color turquesa en la espina dorsal de una gran montaña. Cuando el sol matutino atraviesa sus cristalinas profundidades, los trozos de mica del fondo del lago resplandecen en estridentes explosiones cristalinas.

Llené mis pulmones de aire tan frío que dolió, y tiré mi cabeza hacia atrás para darle una ojeada al imponente «Crystal Crag». Lo que sentí a continuación podría describirse como vértigo, como si la montaña se me fuera a caer encima.

¿David habrá sentido ese mismo vértigo, ese mismo mareo y vacío en la boca del estómago cuando escribió:

«¡Oh, Jehová, Señor nuestro, cuán glorioso
es tu nombre en toda la tierra!
»Has puesto tu gloria sobre los cielos...
»Cuando veo tus cielos, obra de tus dedos,
la luna y las estrellas que tú formaste, digo: ¿qué
es el hombre para que tengas de él memoria y el
hijo del hombre para que lo visites?» (Salmo
8:1,3-4).

David quedó fuera de sí al contemplar la belleza, la majestad y el poder de Dios. Se estremeció diciendo: ¿Qué? ¿Qué? ¿Qué es el insignificante hombre para que tú pienses en él?

Se podría haber sentido sobrecogido, aplastado y apabullado como un escarabajito sobre una pared blanca debido a la grandeza de su admirable Creador. Pero no. El no veía a Dios como una fría e imponente montaña. Cuando él echó su cabeza hacia atrás para ver la terrible altura de Dios y su esplendor, vio una *fortaleza*, un lugar escondido. Un santuario cálido y seguro donde refugiarse de las amenazadoras tormentas de su vida.

«Porque tú eres mi roca y mi castillo, por tu nombre me guiarás y me encaminarás...

»*Desde el cabo de la tierra clamaré a ti, cuando mi corazón desmayare. Llévame a la roca que es más alta que yo porque tú has sido mi refugio y torre fuerte delante del enemigo*» (Salmo 31:3; 61:2-3).

Cuán fuerte, alto, poderoso, grande, inalcanzable, excelso y seguro es nuestro Dios. Y nosotros somos todo lo contrario de cada uno de esos adjetivos. Somos débiles, inferiores, sin poder, pobres criaturas de polvo. Todo lo que Él es no lo somos nosotros. Entonces, ¿por qué nos dice todo eso en las páginas de las Escrituras? ¿Por qué estamos confrontados con ese panorama de su esplendor y grandeza? ¿Es para sentirnos aplastados, prensados y hollados en el polvo? No. Creo que Él nos recuerda la completa necesidad que tenemos y su ilimitado poder para llevarnos hacia su refugio.

En un mundo loco, Él es una torre fuerte. Y la puerta está abierta de par en par.

¿No es eso lo que nos dijo Salomón?

«Torre fuerte es el nombre de Jehová; a él correrá el justo y será levantado» (Proverbios 18:10).

¡LEVANTA LA VISTA!

Puedo escucharte decir: «Joni, eso suena muy bien, pero tú no tienes idea dónde me encuentro. Puede que Dios sea grande pero mis problemas son tremendos. Intento orar pero a veces me siento tan agobiado con todo…».

Como ya sabes, cuando estaba en pie me gustaba montar a caballo, especialmente cuando era niña. Cuando llegué a ser lo suficientemente grande como para montar mi propio pony, igual *tuve* que seguir a los caballos grandes de mis hermanas mayores. El problema era que mi pony era la mitad del tamaño de sus caballos y yo tenía que galopar dos veces más rápido para poder estar con los demás.

No me importaba hacerlo. Lo había tomado como un desafío… hasta que llegamos a la ribera de un río. A mis hermanas les gustaba cruzar el río por la parte más profunda. En sus caballos altos, eso resultaba divertido. Pero parece que no se daban cuenta que mi pony y yo éramos más pequeños y nos hundíamos mucho en las turbulentas aguas. A mi me daba miedo, pero no iba a decírselo.

Nunca olvidaré una de esas veces. Fue en el cruce de Marriottsville donde los dos brazos del río Patapsco se unen. Las lluvias de la semana anterior habían aumentado el caudal del río hasta cubrir la orilla. Mientras nuestros caballos vadeaban el río hacia el centro, yo miré con asombro las aguas correntosas que giraban alrededor de las temblorosas patas de mi pony. Hipnotizada por las aguas turbulentas, me sentí desmayar. Estaba asustada y comencé a perder el equilibrio sobre la montura.

Mi hermana Jay me gritó: «¡Levanta la vista, Joni! ¡Mantén la vista al frente!» En cuanto saqué la vista del agua y la puse en mi hermana recobré el equilibrio y crucé el río.

Ese cruce del río vino a mi mente recientemente cuando estaba leyendo acerca de Pedro, en Mateo 14. Parece que Pedro tuvo el mismo problema cuando estaba caminando sobre el agua en dirección a Jesús. Bajó la vista hacia las olas, se mareó y perdió el equilibrio. Se empezó a hundir porque quitó la vista del Señor.

¡Cómo nos parecemos a Pedro! En vez de mantener nuestra mirada confiada en la Palabra de Dios, con bastante frecuencia dejamos que nuestras circunstancias nos inmovilicen, absorbiéndonos hasta el punto de perder nuestro equilibrio espiritual. Nos mareamos con el temor y la ansiedad. Antes de darnos cuenta ya hemos perdido el equilibrio.

Estoy segura que habrá habido momentos en que has perdido el equilibrio en la oración. Intentas con ahínco dejar a los pies del Señor tus ansiedades, pero te descubres a ti mismo distraído, absorbido por el mismo problema por el que tratas de orar.

¿Te estoy describiendo? ¿Estás atemorizado? ¿No sabes qué hacer cuando tus hijos se enferman? ¿Otra vez tus cuentas no cierran? ¿Quizás tu hijo trajo a casa nuevos «amigos» ayer y estás preocupado pensando en quiénes serán, realmente?

Es fácil asustarse, ¿verdad? Admitamos que no es fácil levantar la vista, especialmente, cuando sientes que te estás hundiendo. Pero yo lo hice en medio del río y Pedro lo hizo para regresar a la barca. Miles de personas lo han hecho antes que tú, colocando los ojos en el Señor Jesús. ¿Y tú? Si no encuentras una salida, intenta levantar la vista. ¡Levanta la vista en oración! ¿Y qué es lo que ves cuando miras hacia arriba? A Jesús. Fija la vista en Jesús.

Puede que tengas que volver a enfocar tu atención, sacando tus ojos de las turbulentas circunstancias agobiantes de tu mundo enloquecido. Mientras mantengas la mirada fija en el Señor, tu lugar de refugio, recobrarás el equilibrio. Descansa la vista en su grandeza y majestad, y deja que tus sentimientos de inseguridad comiencen a desaparecer... como un sueño feo que se desvanece con la dorada luz del amanecer.

DIOS ES UN REFUGIO SIEMPRE PRESENTE

A decir verdad, hay momentos en que estoy aliviada, y hasta contenta de sentirme chiquita al lado de Dios. Después de todo, cuando te sientes inferior deseas correr hacia algo o alguien que sea grande. Te sientes seguro al lado de una roca, una fortaleza o un castillo. Te puedes sentir seguro en la oración porque Dios es como esos lugares fuertes para ti.

Yo sé algo de fortalezas. Guardo recuerdos felices de mi hermana Kathy y yo cuando éramos niñas y construimos una casa en un árbol en la granja. Nuestra pequeña fortaleza estaba un tanto alejada de la casona de la granja, eso le daba privacidad y estaba lejos del alcance de los adultos. Trabajamos mucho acarreando madera, juntando clavos y pidiendo martillos prestados para construir una casita firme en el árbol.

¿Un refugio? ¿Un lugar donde esconderse? ¡Oh, si!, pero era más que eso para mí. En mi mente infantil era una *fortaleza*; ¡una torre alta que se elevaba por encima de las fronteras naturales!

La tormenta podía arrasar fuera de la casita, la lluvia podía golpear con fuerza en la pequeña habitación y el viento podía mecerla sobre las ramas del árbol.

Pero nosotras estábamos a salvo, protegidas, secas y cómodas. ¿Nunca te encontraste a ti mismo pensando que podría ser nuevamente así de sencillo? Porque las tormentas no cesan cuando crecemos, ¿verdad? Las nubes se ponen tan negras como jamás nos hubiésemos imaginado y el viento puede sacudirnos con una furia mayor de la que creemos que podemos resistir.

A veces anhelamos contar con un lugar escondido.

No estamos solos al sentir ese deseo. Hasta algunos de los grandes hombres de la Biblia expresaron ese anhelo. En uno de sus mayores momentos de dolor y angustia por el pecado de su pueblo, el profeta Jeremías clamó a Dios:

«¡Oh, quién me diese en el desierto un albergue de caminantes para que dejase a mi pueblo, y de ellos me apartase! Porque todos ellos son adúlteros, congregación de prevaricadores» (Jeremías 9:2),

Hubo momentos en que David también deseó con todo su corazón un refugio para las tormentas de su vida.

«¡Quién me diese alas como de paloma! Volaría yo y descansaría. Ciertamente huiría lejos; moraría en el desierto. Me apresuraría a escapar del viento borrascoso, de la tempestad» (Salmo 55:6-8).

Lo maravilloso de la Biblia es que no nos abandona en nuestra desesperación. La Escritura nos dice que *hay* un lugar apartado. Un escudo más resistente que un frágil refugio construido por nosotros mismos, más imponente que cualquier poderosa citadela de la tierra.

David escribió:

> «Jehová, roca mía y castillo mío, y mi libertador; Dios mío, fortaleza mía, en él confiaré; mi escudo y la fuerza de mi salvación, mi alto refugio... Esperanza mía, y castillo mío; mi Dios, en quien confiaré... Debajo de sus alas estarás seguro; escudo y adarga es su verdad... Jehová está conmigo; no temeré lo que me pueda hacer el hombre» (Salmos 18:2, 91:2,4; 118:6).

¿Qué otro lugar de refugio mejor que ese puede haber? ¿Qué mejor escudo para corazones angustiados y mentes fatigadas?

Mi casita del árbol me enseñó unas cuantas cosas acerca del significado de «refugio». Pero como la mayoría de los adultos, he dejado atrás las cosas de niños. Cuando en la actualidad necesito un refugio vengo a una Persona. En Cristo Jesús tengo esa Roca Eterna, Alta Fortaleza, Castillo Fuerte, Torre de Refugio, Escudo y Salvador.

Cuando se levanten las tormentas en tu vida, sube a su amor en oración.

No hay nada como el aire seco y caliente que se eleva desde la superficie en el desierto de Arizona. Yo tenía diez años cuando mi caballo –adiestrado para encerrar el ganado– y yo quedamos separados del resto de la familia durante un rodeo después del almuerzo, en el rancho de mi tío Ted.

LUGAR:
Castle Rock, Arizona.
MOMENTO:
Verano de 1959.

El aire hervía. Aunque esforzara la vista para mirar hacia el horizonte en busca del resto, las imágenes se mecían como espejismos. Dirigí a mi caballo en dirección a una gran saliente roja. Limpiándome la frente con el sombrero, bajé en busca de refugio a la sombra de la roca. Fuera del alcance de la resplandeciente claridad, mis ojos descansaron. Tomé una gran inspiración de aire fresco. Ese fue para mí un lugar de refugio. Esa sombra también fue un lugar seguro y refrescante mientras le daba vueltas a mi sombrero orando para que alguien me encontrara. Sólo que tenía que mantenerme hacia la izquierda para permanecer a la sombra. Era una amiga ficticia. Tampoco me importaba mucho. Estaba aliviada de poder imaginarme a mi misma, pequeña e insignificante, protegida en la confortable sombra del Dios Admirable. Era fácil orar porque me sentía protegida y resguardada.

Antes de una hora escuché el galopar de los cascos sobre el cerro polvoriento. ¡Mi familia! Justo a tiempo. La cambiante sombra de la roca estaba a punto de desaparecer.

Sombras. Siempre cambiantes.

Como Jonás, escabulléndose debajo de la viña, como una niñita asustada ocultándose a la sombra de una saliente en el desierto, así encontramos también falsas sombras en amigos.

¡Ah, pero el Señor es una sombra inmutable!

Santiago 1:17 nos dice: «Toda buena dádiva y todo don perfecto desciende de lo alto, del Padre de las luces, en el cual no hay mudanza ni sombra de variación».

La sombra nunca cambia porque nuestro Padre es inmutable.

El no evoluciona, como algunos teólogos han tratado. de hacernos creer. No es transmutable, como profesan algunas otras religiones. No. El es fiel y constante. Es siempre compasivo, siempre misericordioso, siempre justo, siempre santo, siempre lleno de amor, siempre presente.

La sombra de una Roca poderosa en una tierra fatigada.

El alivio que encontramos en su presencia no cesa con el paso de las horas, los días o los años.

El aliento que encontramos en sus promesas no nos harán tropezar cuando el calor de la adversidad caiga sobre nosotros.

La seguridad que encontramos en su carácter jamás varía aunque nuestras vidas se vuelvan cabeza abajo y el mundo loco cambie a nuestro alrededor.

¡Qué maravilloso es tener su sombra cayendo sobre nosotros! El Salmo 91 comienza diciendo: «El que habita al abrigo del Altísimo morará bajo la sombra del Omnipotente». El salmista continúa detallando las muchas maneras en que Dios protege a los suyos, haciéndolos sentir seguros. En los versículos 11 y 12 se nos dice: «A sus ángeles mandará acerca de ti, que te guarden en todos tus caminos. En las manos te llevarán, para que tu pie no tropiece en piedra».

El Salmo 121 nos asegura:

«Ni se dormirá el que te guarda, he aquí, no se adormecerá ni dormirá el que guarda a Israel.

»Jehová es tu guardador, Jehová es tu sombra a tu mano derecha, el sol no te fatigará de día, ni la luna de noche.

»Jehová te guardará de todo mal; El guardará tu alma» (vs.3-7).

Si colocamos nuestras vidas en sus manos voluntariamente y ponemos nuestra fe en su Palabra, El nos recompensará ricamente haciendo pasar la sombras de cada día como una señal de las bendiciones por venir.

Tú puedes fallarle, pero El jamás te fallará. Ubica tu silla a la sombra de la cruz y jamás tendrás que moverla.

TU LUGAR APARTADO...

Ahora mismo, trata de recordar la última vez que encontraste sombra protectora en un día caluroso. ¿Recuerdas cuán descansado te sentiste del agobiante sol? Haz una lista en tu mente de estos sentimientos: desahogado, aliviado, consolado, reconfortado.

Ahora, así es como puedes sentirte a la sombra protectora del Dios Altísimo. Descansado. Desahogado. Seguro. Puedes respirar a la sombra de Dios.

Tómate un minuto para venir delante del *lugar de refugio* en oración e imagínate a ti mismo bajo su sombra protectora. Imagínate a ti mismo buscando un lugar resguardado en la hendidura de la Roca. Ahora, fija tus ojos en Jesús y entrégale a El esos problemas, esas agobiantes circunstancias que te distraen. Haz una lista con esos temores y deposítala a su sombra.

Luego disfruta de ese sentimiento de alivio a su sombra. Termina tu oración como el salmista: «Esperanza mía, y castillo mío; mi Dios en quien confiaré». Salmo 91:2

Capítulo tres

Un lugar de reverencia

Nuestras oraciones
deben significar algo para nosotros
si es que van a significar algo para Dios.
Maltbie D. Babcock

*I*nmediatamente después de las revueltas y cambios en Europa Oriental, a pocos meses de la caída del muro del Berlín me reuní con un pequeño grupo de abogados estadounidenses discapacitados en la recientemente liberada capital rumana. Queríamos aprovechar todas las oportunidades y trabajamos fervorosamente para atraer la atención de las nuevas autoridades de la nación hacia las necesidades de las personas discapacitadas que estaban desesperadamente ignoradas.

LUGAR:
Bucarest, Rumania.
MOMENTO:
Junio de 1990.

Todos sentíamos que si no actuábamos rápidamente se perdería el ímpetu una generación más.

A través de la embajada de los Estados Unidos pude arreglar una reunión con ocho de los nuevos senadores de la República de Rumania. Iría a esa reunión como la más destacada abogada discapacitada de visita desde los Estados Unidos. Acompañada por Mike Lynch, un ex agregado a la embajada en Washington, D.C., iría con credenciales del Consejo Nacional de Discapacitados y una copia nueva del Acta con los nombres de los estadounidenses discapacitados sobresalientes.

Luego de una exhaustiva semana de variados eventos, citas y corridas de un extremo a otro del país, llegó el día de nuestra reunión con el senador.

En una brillante y clara mañana ascendimos los escalones de mármol del edificio del senado rumano, rodeados de columnas de estilo corintio. Sabíamos que nuestros conocimientos políticos y todas nuestras credenciales no significaban nada. Es el Señor quien tiene el poder para realizar los cambios. Es el Señor quien coloca reyes, presidentes y hasta senadores en sus puestos. Es el Señor quien tiene la última palabra. Nos cobijamos entre las columnas y oramos.

Entonces, antes de entrar, Mike Lynch nos dio una breve lección de protocolo. Esto es lo que se debe hacer, así es cómo debemos sentarnos, cuándo debemos hablar, cuándo callar y escuchar. Nos advirtió que no habláramos fuera de turno, ni hiciéramos afirmaciones descuidadas. También nos advirtió que no nos dejáramos llevar por sentimentalismos. Estábamos en un lugar muy importante donde hablaríamos con hombres influyentes. Actuar de manera tonta o inapropiada debilitaría nuestra comparecencia y socavaría nuestra posición. Era imperioso que hiciéramos todo de la mejor manera posible.

A veces, después de esa reunión, he ponderado la pequeña clase de protocolo de nuestro amigo Mike. ¿Cómo es posible que no pensemos en ello cuando nos presentamos delante del Dios Todopoderoso? El nos ha concedido el asombroso y maravilloso privilegio de acceder a su presencia. ¿Abusamos de ello? ¿Corremos a su encuentro sin prepararnos, con nuestros pensamientos en desorden, con palabras descuidadas, balbuceando lo primero que se nos cruza por la mente?

Sí, Dios es nuestro Padre. El Señor Jesús es nuestro amante esposo, abogado y mejor amigo. Pero sigue siendo el Rey.

Los presidentes, faraones, jeques, generales y reyes están sujetos a Él. ¿Podemos venir a su presencia con algo menos que nuestro cuidadoso respeto?

BUSCANDO A DIOS CON CUIDADO

Hebreos 13:9 dice: «Buena cosa es afirmar el corazón con la gracia».

En otras palabras, somos fuertes cuando tenemos la gracia de Dios. La gracia de Dios es buena para nuestros corazones.

Pero, ¿qué es la gracia? Algunos teólogos han dicho que son las riquezas de Dios a expensas de Cristo. Algunos comentaristas dicen que la gracia es el favor inmerecido de Dios. Otros la han descrito como el vehículo por el cual Dios nos da el deseo y el poder para hacer su voluntad. Estos son los mejores intentos humanos por describir lo que para nosotros es incomprensible: la gracia de Dios.

Pero, ¿cómo obtenemos la gracia? ¿Cómo la dispensa Dios? Bien, es bueno saber que la gracia es un don gratuito, pero hay que recordar algunas pocas cosas al aceptar su don. Primero, Dios quiere que vengamos a Él en humildad para tomar su gracia. Después de todo, las Escrituras dicen que «Dios resiste a los soberbios y da gracia a los humildes» (Santiago 4:6)

Eso es importante para tener en cuenta, porque hay muchos cristianos –incluyéndome a mí misma– que nos dirigimos muchas veces a Dios como si fuera un abuelito en el cielo, repartiendo gracias como si fuesen galletitas de chocolate. Tú sabes; me refiero a nuestra actitud para pedir. ¡Qué desagradable le debemos resultar con todos esos «dame»!

ACERCANDOSE A UN DIOS ADMIRABLE

Entonces, ¿cómo debemos venir a Dios en oración?

Una canción popular nos recuerda que «nuestro Dios es un Dios admirable». El tiene el poder de inspirar temor y una profunda reverencia. Deberíamos temer apropiadamente ante el Señor, nuestro santo Dios; deberíamos maravillarnos y sentir un temor reverente.

Job conocía el poder de su Dios admirable. Como Job deseaba la presencia de su Dios planificó cuidadosamente cómo ordenar su causa y presentarla delante de Dios. «¡Quién me diera el saber dónde hallar a Dios! Yo iría hasta su silla. Expondría mi causa delante de él, y llenaría mi boca de argumentos» (Job 23:3-4). El no intentó acercarse a Dios de manera descuidada o con acusaciones. El entendía lo que significaba la oración y el poder de Aquél que estaba sentado en el trono.

Hoy en día existe una noción generalizada acerca de la oración fácil. Muchos de nosotros oramos de manera descuidada. Tenemos oraciones «habituales» que murmuramos antes de dormirnos o de las comidas; frases simples tales como: «Dios, bendícenos y gracias por los alimentos, y el buen día y perdónanos por haber vuelto a pecar». Nos arrastramos al trono de Dios bostezando y murmurando lo primero que nos viene a la mente. Pronunciamos nuestras alabanzas, peticiones, agradecimientos y súplicas de manera informal, deteniéndonos a duras penas a pensar antes de abrir la boca.

Me temo que existe un peligro en hacer eso, porque hay poder en lo que decimos delante del trono de gracia de Dios. Debemos acercarnos con sagrado cuidado. Aprendí duramente esa lección.

*A*penas habían pasado tres años desde mi entrega a Cristo en aquel retiro de Natural Bridge en Virginia. En tres años las cosas cambian mucho. Por alguna razón, el maravilloso sentimiento que había tenido de Dios, el sentimiento que había experimentado en la roca debajo de las estrellas, había desaparecido. No era para asombrarse. Había empujado a Dios a un rincón de mi mente y lo había metido en una caja con una etiqueta que decía: «Romper en caso de emergencia».

LUGAR:
*Mi dormitorio
en la casa de mi niñez,
en Baltimore.*
MOMENTO:
Abril de 1967.

Me dirigía a Dios como si El fuese una máquina expendedora espiritual, en la cual introducía las oraciones como si fuesen monedas y luego bajaba la palanca. No sabía si mis peticiones eran espirituales o escriturales, simplemente me lanzaba al trono de gracia de Dios y hacía mis pedidos.

Esa actitud me trajo problemas. Comencé a experimentar desilusión y desaliento en mi caminar con el Señor Jesús. No había victoria sobre el pecado para mí. Estaba exasperada, y mis oraciones cada vez se centraban más y más en mí misma. «Señor, ahora que soy tu hija, ayúdame a bajar siete kilos», o «Señor, ayúdame a hacer mis tareas esta noche y que no sean aburridas», o «Señor, estoy segura que me gusta el muchacho que es capitán del equipo de fútbol. ¿No me haces una cita con él?»

Un viernes, pasada la medianoche, me sentí especialmente frustrada. Abrí violentamente la puerta de la cocina y me dirigí a mi cuarto. Prendí la luz del baño, me lavé la cara con agua fría y me miré en el espejo. Tenía los ojos enrojecidos y los labios hinchados. Había sido otra de esas sórdidas noches transcurridas con mi novio. Me sentía sucia y culpable. Me incliné hacia el espejo y vi una chica fea, excedida de peso y con acné en la pera. Me puse el pijama y me tiré llorando en la cama. Apreté la Biblia contra el pecho y dije: «Oh, Dios; *haz* algo en mi vida, solamente haz algo. No me importa lo que pase pero no quiero sentirme a la miseria».

Dije esa oración sin saber cómo Dios la iría a contestar. Creía que iba a darme un poder sobrenatural para decirle «no» a mi novio. También supuse que me llevaría hasta algún consejero bíblico en el próximo campamento de verano que me ayudaría a poner mi vida en orden. Quizás conociera a algún muchacho firme en la fe cristiana, que me ayudaría a meterme profundamente en la Palabra. O, nuevamente, encontraría un buen grupo de fraternidad en la universidad ese otoño. Quizás Dios me llevara a las misiones. Tal vez terminara mis estudios en alguna universidad teológica.

De acuerdo a mi manera de pensar, todas estas posibilidades eran respuestas razonables a mi petición de acercarme a Dios. Después de todo, algunos de mis amigos cristianos habían orado para caminar más cerca de Jesús y el Señor les había hecho cosas como esas. Por lo tanto, comencé a mirar en qué dirección iría mi vida ese último año en el colegio secundario.

Y mi vida *sí que tomó* una dirección diferente, pero no hubo forma de prepararme para la sorpresa, para el sacudón que me esperaba.

Ya ves, Dios tomó mi oración en serio. Como al mes, imprudentemente, me tiré de cabeza en aguas poco profundas. Cuando toqué el fondo y me rompí el cuello, mi vida pasó espantosamente delante de mis ojos y supe que Dios estaba contestando mi oración. Yo tenía solamente diecisiete años, pero supe que ese accidente era, de manera extraña, la respuesta a la oración.

Aunque confieso que en las semanas siguientes, cuando yacía en la cama del hospital, enfrentando un futuro en silla de ruedas sin poder usar ni mis manos ni mis piernas, me irrité: «Gran Dios, ¿es esta tu manera de contestar una oración? ¡Créeme, jamás confiaré en ti orando de nuevo!»

Pedir con cuidadoso respeto

Aunque en ese entonces no podía decir que fuera una legítima respuesta a la oración, ahora veo que lo fue. No puedo negarlo. Dios me acercó a El como consecuencia de mi accidente. Mi silla de ruedas, me guste o no, me obliga a buscar su Palabra. No se dio por medio de una universidad teológica o un campamento de verano. Sucedió a través de meses de lucha en la cama de un hospital. Creo que algunas personas tenemos que rompernos el cuello para encontrar a Dios verdaderamente.

Pero, ¿sabes algo? Ahora puedo decir que estoy *contenta* que todo esto haya pasado.

Como puedes ver, la oración es un asunto serio. Cuando nos acercamos al trono de la gracia de Dios, debemos ser cuidadosos y hacerlo con sagrada cautela..., con pía conciencia. Si tú no crees que debes tener esa actitud hacia la oración, permíteme desafiarte con el siguiente ejemplo.

Supón que un hombre recibe una multa de tránsito que él considera que no merece. Recibe instrucciones en cuanto a cómo apelar e interrumpe su trabajo en medio del día para presentarse a la corte.

Se presenta en ropa de fajina, un jean y camisa de mangas cortas. El considera que todo el asunto es una pérdida de tiempo y un tremendo engorro.

Eso lo demuestra en la corte. Aun antes que comiencen los procedimiento de rigor, se dirige al estrado del juez y coloca los codos sobre la mesa, con goma de mascar en la boca y le dice: «Mire, usted es un buen tipo y va a entender enseguida todo este embrollo».

El juez mira atentamente la multa, luego mira al policía bien trajeado que está a un costado y después observa al demandante.

—Se mantiene la citación —dice el juez cortésmente.

El demandado comete el error de poner los ojos en blanco.

—Joven ¿quisiera que se lo acuse por desacato a la corte? —le pregunta el juez.

El demandante recibe el mensaje y dice con apaciguado tono de voz que quiere mantener la apelación.

En la próxima aparición en la corte, el hombre se pone su mejor traje. Hace un esfuerzo genuino por mostrarse preocupado y responsable, organiza los acontecimientos y cuenta su versión de la historia de manera pensada y amable. El juez escucha su versión de la historia y dicta justicia. La multa queda sin efecto.

Si eres citado a la corte para testificar, ¿no pensarías antes de hablar? Por supuesto. Después de todo, nadie se presentaría a la corte creyendo que va a defender su caso improvisando en el momento.

Un demandante sabio va a presentarse a la cámara con su caso bien preparado y sus ideas bien organizadas. No se animaría a abrumarla con su palabrería, ni pondría los pies en el estrado, ni se reclinaría en la silla con las manos detrás de la cabeza bostezando o diciendo lo primero que le viene a la mente. No. El habrá elaborado su caso o habrá contratado un abogado profesional para que lo haga por él.

¿Entonces, por qué generalmente oramos tan descuidadamente, –y hasta desordenadamente? Miremos el Antiguo Testamento. El sacerdote que se acercaba a Dios llevaba una actitud de santa cautela. Cuando ofrecían sacrificios por el pueblo, no debían apurarse a presentarse delante de Dios. Los sacerdotes debían matar el becerro, lavarse los pies, ponerse vestiduras especiales, acercarse al altar con el becerro debidamente trozado, rociar la sangre en el lugar indicado y encender el fuego de la manera prescrita, con una –¡y solo una!– manera de encenderlo.

¿Por qué los sacrificios se hacían tan detalladamente? La verdad subyacente es simple: piensa antes de orar.

LAS ORACIONES TAMBIEN SON OFRENDAS

Nuestras oraciones son sacrificios espirituales. Frecuentemente pensamos en Dios como en el ser supremo que está sentado alegremente al lado de un teléfono celestial, esperando que lo llamemos para darle la lista de nuestras peticiones. He oído a algunos predicadores decir: «Todo lo que tienes que hacer es nombrarlo y reclamarlo. Puedes reclamarle a Dios lo que justamente te corresponde».

Así es. Dios puede contestar pedidos de la misma manera en que contestó las peticiones de los hijos de Israel cuando lo probaron en el desierto. El les dio lo que pidieron, pero recuerda que también les mandó pobreza a sus almas.

¿De dónde salió esa idea de que Dios se regocija cumpliendo lo que le pedimos? Es verdad que Dios es nuestro mejor amigo, pero no nos atrevamos a tomar su amistad tan a la ligera. Sí, Dios está feliz y dispuesto a escuchar nuestras peticiones. Pero la Biblia nos dice que: «...sirvamos a Dios agradándole con temor y reverencia; porque nuestro Dios es fuego consumidor» (Hebreos 12:28-29).

Cuando conocemos a Dios como Dios, no hacemos «reclamos». No pedimos. Es mejor «que sean conocidas vuestras peticiones delante de Dios» (Filipenses 4:6). Luego tener una actitud de sumisión, de humildad, de deferencia hacia el Rey de reyes y Señor de señores.

Sí, hay muchas personas que dicen y piden y reclaman y reciben. Pero, francamente, cuando miro esta silla de ruedas se torna en un sutil recordatorio que Dios tomará muy en serio las palabras que elevemos delante de su trono de gracia. La gente sabia prefiere orar en la actitud de «que sea hecha tu voluntad», mientras entregan sumisamente sus peticiones a Dios.

MISERICORDIA Y GRACIA EN EL TRONO

Hebreos 4:16 nos hace una buena advertencia: «Acerquémonos pues, confiadamente al trono de la gracia, para alcanzar misericordia y hallar gracia para el oportuno socorro». Deberías marcar ese versículo en tu Biblia si aún no lo has hecho. Describe la clase de actitud que necesitamos tener cuando nos acercamos al trono de Dios en oración. Presta atención a las palabras. Primero recibimos misericordia, luego hallamos gracia. Esa es una gran clave de lo que debe ser nuestra actitud al orar.

Podemos acercarnos a Dios con nuestro problema en busca de gracia, pero primero debemos acercarnos a nuestro Dios todopoderoso para recibir misericordia. Antes de tener respuesta para nuestras peticiones, deseos, necesidades o pedidos, necesitamos humillarnos para obtener su favor. Esa es la actitud que necesitamos.

TU LUGAR APARTADO...

Charles Spurgeon dijo: «Aquel que ora sin fervor no ora en absoluto. No podemos comunicarnos con Dios, quien es fuego consumidor, si no hay fuego en nuestra oración».

¿Quién de nosotros no desea fuego en la oración? Tú sabes que puedes tenerlo cuando te acercas a Dios primeramente con reverente cautela, para obtener misericordia y luego para hallar la gracia que te ayude a orar.

Ahora mismo, imagínate a ti mismo ante el gran salón del trono de Dios. Mírate en el lugar reverente. Imagínate los alrededores... las grandes paredes, los tapices, el trono, los miles de ángeles adorando. Ubícate en la escena mientras te vas acercando al todopoderoso Dios con tu alabanza y petición. Arrodíllate delante de El en tu corazón. Aquieta tus pensamientos. Concéntrate y ordénalos. Enfoca tus palabras, y luego, en sumisión y con humildad, permite que tus peticiones sean conocidas por El.

Capítulo cuatro

Un lugar de polvo y cenizas

Cuanto más oramos, más queremos orar.
Cuanto más oramos, más podemos orar.
Cuanto más oramos, más deberíamos orar.
Quien ora poco, orará menos; pero quien ora mucho, orará más.
Y quien ora mucho deseará orar más abundantemente.
Charles Haddon Spurgeon

*H*ay un tiempo de silencio delante del Señor. Es el tiempo para escuchar; el tiempo de estar quietos. El tiempo de abstenerse de correr a la presencia de Dios con palabras y pedidos desordenados.

Santiago escribe acerca de la necesidad de examinarse individual y profundamente delante del Señor.

«*Acercaos a Dios, y él se acercará a vosotros. Pecadores, limpiad las manos; y vosotros, los de doble ánimo, purificad vuestros corazones.*

»*Afligíos, y lamentad, y llorad. Vuestra risa se convierta en lloro, y vuestro gozo en tristeza.*

»*Humillaos delante del Señor, y él os exaltará*» (*Santiago 4:8-10*).

Durante bastante tiempo estuve intentando torcerle el brazo a Dios para que me revelara el *por qué* de mi accidente. Estuve golpeando las puertas del cielo, exigiendo una respuesta a mi oración, una razón para mi horrible cadena. Fui insistente y siempre beligerante con Dios.

LUGAR:
Instituto de rehabilitación para niñas en Maryland.
MOMENTO:
Marzo de 1968.

Pero toda esa exigencia e ira no aplacaron mi ansiedad, ni suavizaron mis temores en medio de la noche cuando estaba sola. Tenía miedo y estaba aturdida.

En esas solitarias horas no me sentía tan envalentonada y arrogante ante Dios. En esos momentos me imaginaba a Jesús visitándome. Me lo imaginaba vestido con una capa de arpillera áspera y un cinturón de soga alrededor de la cintura. Mis ojos mentales lo veían caminando suavemente entre las camas de mis compañeros de hospital, dejando huellas de polvo con sus sandalias en el piso plastificado. Me consolaba con su imagen a los pies de mi cama. El agudo dolor de la soledad cesaba al imaginarme a Jesús viniendo hacia mí en mi dolor. Lo veía inclinándose sobre mí, acariciándome la mejilla con el dorso de la mano y sacándome de la cara los mechones de pelo sin brillo.

El me preguntaría acerca de mi día –«¿Cómo pasaste el día, Joni? ¿Qué tal la terapia física? ¿Cómo está tu hermana? ¿Qué dijo?». Lo imaginaría noche tras noche en esas interminables horas de insomnio. Francamente, eso era en lo único que podía pensar para no llorar sin parar. *Tenía* que hacerlo porque NO podía llorar. Si lloraba, no había nadie que me sonara la nariz. No había nadie que me secara las lágrimas. Era un horrible, claustrofóbico sentimiento que tenía que dominar para no llorar. En cuanto sentía que las lágrimas empezaban a asomar, tenía que consolarme a mí misma rápidamente con algo. Por eso me imaginaba al

Señor Jesús apareciendo por la puerta. Veía su sombra dibujándose con la suave luz del puesto de enfermeras.

Luego de nuestro breve diálogo, El me preguntaría, mirándome fijamente: «Joni, si te quiero tanto como para morir por ti, ¿no crees que sabía lo que estaba haciendo cuando contesté tu oración para que te acercaras más a mí?»

Su razonamiento tenía sentido. Si Jesús había muerto por mí, entonces podía confiar en El en todo lo demás que hiciera con mi vida. Ese solo pensamiento me humillaba delante del Señor. El mismo Dios que separaba el mar, abría ríos, ordenaba cadenas montañosas e improvisaba tiempo y espacio, se preocupaba tanto por mí como para consolarme.

Pedro escribió: «Humillaos, pues, bajo la poderosa mano de Dios, para que él os exalte cuando fuere tiempo» (1ª Pedro 5:6). Aun estando paralizada sabía que tenía razones suficientes para estar agradecida. Cristo murió por amor a mí..., amor que yo no me merecía.

¿Qué pasó después? Dios comenzó a contestar mi oración pidiendo caminar más cerca suyo. ¿Recuerdan aquella oración que mencioné anteriormente, que había hecho de manera descuidada un año antes: «Oh, Dios, quiero estar más cerca de ti»?

Sólo después de humillarme ante el Señor, El comenzó a levantarme. Despacio y constante, Dios comenzó a quitarme la ansiedad y el temor. No fue de la noche a la mañana, pero ese comienzo en mi solitario cuarto era exactamente el empujón que necesitaba.

POLVO Y CENIZAS

«Y Abraham replicó y dijo: He aquí ahora que he comenzado a hablar a mi Señor, aunque soy polvo y ceniza...» (Génesis 18:27).

Esa era la actitud de Abraham cuando oró.

Su humildad me conmovió. Cuanto más se humillaba

Abraham, más «alto» se debía sentir. Puedo imaginarme a Abraham hablando con Dios; se sentiría como llevado a los cielos en alas de águila. Se debe haber asombrado que por sobre todas las cosas, se le haya permitido tener acceso al Dios todopoderoso. Estoy segura que sentiría como que estaba tocando el cielo con las manos mientras hablaba con el Señor. Había hablado con el Dios del universo. Ese solo pensamiento era suficiente como para humillarlo, al recordarle que no era más que «polvo y cenizas».

Cuando veo a Abraham clamando a Dios –un clamor que no tiene que ver con un mero discurso preparado– está claro que las oraciones espirituales ordenadas consisten en algo más que en un pedido metódico.

Las oraciones espirituales son las que van dirigidas a una persona real, a alguien quien verdaderamente está presente aunque no lo veamos a nuestro lado. La oración espiritual es conversar con el invisible Creador del universo como si estuviese visible delante nuestro. Eso, más que nada, nos hará sentir como Abraham, maravillados al ver que podemos hablar con Dios.

Ciertamente, habrá momentos en que oraremos «a la carrera», con sinceridad y conversacionalmente. Ofreceremos oraciones «disparadas», rápidas y precisas peticiones o intercesiones hechas de corazón. Pero cuando se trata de nuestro tiempo regular de oración diaria, el momento comprometido para la oración, queremos tomarnos el tiempo para examinar nuestro corazón concienzudamente, teniendo presente quiénes somos nosotros y quién es Dios.

Imaginémonos a nosotros mismos en un lugar de polvo y cenizas –lo que significa: *humillados*– tomando conciencia de nuestra insignificancia y de la grandeza de Dios, de nuestro pecado y de su pureza, nuestra humanidad y su divinidad.

Cultivando una actitud como esa nos ayudará a apreciar mejor la presencia real de Dios con nosotros en nuestras oraciones.

Ya sea que veamos a Jesús sentado al borde de nuestra cama o toquemos el cielo como lo hizo Abraham, nuestras oraciones serán reales. No serán una planificación mecánica sino que estarán divinamente ordenadas. Tendremos la seguridad de hablar con Alguien que realmente está presente.

Te diré un secreto. Hay momentos durante mis oraciones que me siento tan agobiada por el pecado, tan terrenal, tan seca, que apenas puedo acercarme al Padre. No voy a decir algo muy teológico, pero cuando pienso en el Padre pienso en alguien cuya presencia requiere protocolo, formalidad y una cuidadosa elección de las palabras. ¡Tú no vas a balbucear lo primero que te venga a la mente cuando te inclinas delante del Rey del universo! No está en mí, en momentos como esos, presentarme así delante de su trono «alto y excelso». No quiero ver a los querubines y a los serafines con todo su séquito llenando el templo. A veces, ni siquiera tengo el valor de hablar con el Hijo. Estoy demasiado humillada, muy dolida, muy sucia de polvo para hablar con Jesús. «*Bellísimo Señor Jesús, tú has muerto en la cruz por mí. Me has dado todo. Pero lo siento, Señor; no tendrías que verme en estas condiciones.*»

El Espíritu Santo, aquél que es el Consolador, Consejero y Guía parece ser lo más apropiado para acercarse en momentos como esos. Le pido que se siente a mi lado en el polvo y las cenizas mientras le abro mi corazón a El, a la persona de la trinidad, el divino compañero que parece comprender mejor que nadie cómo me siento. «*Aquí estoy, Espíritu Santo, en polvo y cenizas, de cara al piso, lamiendo el polvo, cubierta de hollín. Sucia. Herida. Como el salmista antes que yo: mi alma se abre hasta el polvo. Oye mi oración, querido Consejero.*»

En un libro reciente, el doctor J.I. Packer habla acerca del conocimiento de Dios en la plenitud de su medida. Afirma el valor de la comunión y la relación con las tres personas de la trinidad. Cuando llega al Espíritu Santo yo me agarro de su proximidad, su consuelo, su aliento, su intercesión a mi favor con «gemidos que las palabras no pueden expresar». En esos momentos no me van a oír haciendo votos de mi fidelidad a Dios. En cambio, vengo a El con pobreza espiritual, con los brazos extendidos y las manos vacías, desprovista de mí misma... no haciendo alarde de mi compromiso con el Señor sino de su compromiso conmigo.

¿Cuánto hace que te sentiste polvo y cenizas en oración? Si el hablar con Dios no te conmueve por ser el más profundo y extraordinario privilegio imaginable, tal vez Génesis 18 pueda ser un buen lugar para refrescar tu vida de oración. Solamente cuando sentimos el polvo y las cenizas podemos entrar a la casa de Dios que está llena de tesoros, y abrazar el cielo.

«Cuando oramos, frecuentemente estamos ocupados en nosotros mismos, con nuestras propias necesidades y nuestros propios esfuerzos para presentarlas. Esperando ante Dios, el primer pensamiento es para Dios, a quien estamos esperando. Dios anhela revelarse a nosotros, llenarnos de sí mismo. Antes de orar, inclínate silenciosamente ante Dios tomando conciencia de quién es El, cuán cerca El está, con cuánta certeza puede y quiere ayudar. Permanece quieto ante El y permite que su Espíritu Santo se mueva y despierte en tu alma una disposición como la de un niño, de absoluta dependencia y confiada expectativa. Espera a Dios hasta que sepas que lo has encontrado; entonces, la oración será muy diferente» (Andrew Murray).

Cuando oras, ¿te tomas por lo menos un momento para pensar acerca de Dios *antes* de empezar a hablarle? Dispone tiempo esta semana para concentrarte en Dios antes de abrir la boca para orar. Piensa que te estás dirigiendo a un ser vivo y santo quien está escuchando. Luego, confiesa. Tómate unos cuantos minutos para analizar tus malas acciones del día, en las pequeñas y no tan pequeñas transgresiones. Luego, toma conciencia que Dios podría destruirte con su ira santa, pero El ha decidido ser bondadoso y misericordioso. Su maravillosa gracia es suficiente como para humillarte. El es nuestro amante Padre celestial, lleno de gracia, y nosotros somos... polvo y cenizas.

LUGAR DE HUMILDAD

No existe mejor experiencia de humildad que encontrarte en un lugar donde estás en completa dependencia de otra gente hasta para las tareas más sencillas, tales como que te den de comer o te bañen. Recuerdo a una pareja joven a quien conocí algunos años atrás.

La joven esposa se inclinó tiernamente sobre la silla de ruedas de su marido. El tenía un serio daño cerebral como consecuencia de un accidente automovilístico. Levantó la cabeza lentamente y sonrió. La joven esposa le acomodó con cariño el cuello de la camisa, mientras decía sonriendo al mirarlo:

—Me costó aceptar el accidente de Ricardo. Lo más difícil fue bañarlo, ¿verdad querido?

El la miró sonriendo, como diciendo: ¡Ya lo creo!

Ella contuvo las inevitables lágrimas mientras continuaba diciendo:

—El se paraba agarrándose del toallero, mientras yo le enjabonaba la espalda y mis lágrimas corrían a la par del agua. Mi esposo, fuerte, grande y buen mozo... no podía hacer nada por mí, yo tenía que hacer todo por él; inclusive bañarlo.

El marido se dio vuelta en la silla de ruedas, todo lo que podía hacer era escuchar, ya que estaba incapacitado para hablar.

—Pero todo eso cambió cuando tomé conciencia que Jesús hizo lo mismo... bueno, hizo *mucho más* cuando me lavó de mi propia suciedad. Ahora considero que es todo un privilegio darle un baño a Ricardo.

Al escuchar el testimonio de esta joven, reflexioné en mi propia experiencia de humillación al aceptar que me bañen debido a mi parálisis. Me recordó que somos lavados cada día como creyentes. El apóstol Juan nos asegura que «si confesamos nuestros pecados, él es fiel y justo para perdonar nuestros pecados y limpiarnos de toda maldad» (1ª Juan 1:9).

En Juan 13 el Señor se pone de rodillas y les lava los pies sucios a sus discípulos.

En el Salmo 51 David le ruega a Dios que lo limpie: «Lávame más y más de mi maldad y límpiame de mi pecado... lávame, y seré más blanco que la nieve... crea en mí, oh Dios, un corazón limpio» (Salmo 51:2,7,10).

Me pregunto si David habrá tenido siempre esa actitud. Me pregunto si alguna vez se sintió reticente a que alguien lo bañara..., aunque ese alguien fuera el mismo Dios. El debe haber creído que el aseo personal era algo que debía hacerlo por sí mismo. Después de todo, es humillante que alguien tenga que hacer por uno esa rutina privada. Pero, sin embargo, llegó un día en que el rey David no vaciló. Estaba tan mancillado, tan sucio por el pecado y la culpa que cayó del trono de rodillas al suelo implorándole a Dios que lo limpiara.

También los discípulos vieron el cuadro. Pedro al principio se negó a que Jesús le lavara los pies, pero cambió de idea rápidamente cuando el Señor le explicó las implicaciones que había en ello. « Señor, no sólo mis pies, sino también las manos y la cabeza» (Juan 13:9)

La joven esposa que tenía a su marido postrado comenzó a cambiar de actitud hacia el baño al darse cuenta lo que su Señor hacía por ella todos los días. Dios le estaba quitando de su vida una suciedad mayor que la que ella jamás tuvo que quitarle a su esposo cuando se acercaba a él con la esponja en la mano.

Puede ser que no estés en un asilo y que no tengas necesidad que te bañen. Puede ser que no te encuentres enfermo en cama y que otras personas tengan que hacerse cargo de tus necesidades íntimas. Pero puede que necesites a alguien -aparte de ti mismo- para que te de un buen baño.

Si tienes los pies sucios o tus manos están pegajosas por el contacto diario con el mundo, ven a Dios en polvo y cenizas. Permite que El te bañe hasta que te deje más blanco que la nieve. Deja que El cree en ti un corazón puro.

TU LUGAR APARTADO...

Venimos al lugar de polvo y cenizas por el sendero de la humillación. En ese lugar no existe espacio para la altivez. No hay lugar para la soberbia espiritual.

No es fácil humillarse delante del Señor, a no ser que comencemos con alabanza y confesión. ¿Tienes dificultades para confesar tu pecado con palabras honestas? A veces conviene tomar palabras prestadas de otras personas que se han humillado delante del Señor.

Haz una pausa ahora mismo para analizar a tu grandioso y santo Dios. Luego haz una lista mental de cinco cosas que hayas hecho en el día de hoy, que tú sabes que lo ofenden o lo lastiman. Inclínate al polvo y las cenizas y repite esta confesión tomada del libro de oraciones:

Todopoderoso y misericordioso Dios, hemos fallado, nos hemos extraviado del camino como ovejas perdidas. Hemos sido arrastrados por los deseos de nuestro corazón. Hemos ofendido tus santas leyes. Hemos dejado de hacer las cosas que debíamos y hemos hecho lo que no debíamos. No hay nada sano en nosotros. Pero tú, oh Señor, ten misericordia de nosotros, pobres pecadores. Restaura al penitente, perdona al que confiesa su falta de acuerdo a tus promesas en Cristo Jesús. Y por El, o Padre misericordioso, que tengamos una vida santa, justa y abundante para la gloria de su santo nombre. Amén.

Capítulo cinco

Un lugar de petición

Si estás seguro que es justo lo que estás pidiendo,
pídelo ahora, pídelo al medio día, pídelo de noche.
Clama hasta las lágrimas por tu causa.
Ordena tu argumento. Respalda tu causa con razones válidas.
Pide con urgencia la preciosa sangre de Jesús.
Charles Haddon Spurgeon

*E*ra verano; justo antes de las Olimpíadas en Los Angeles y yo tenía un único y ferviente deseo. Me moría por ver a un corredor olímpico con la antorcha.

El diario decía que cincuenta de ellos correrían por rutas determinadas a lo largo de varias localidades de Los Angeles y los alrededores.

—Oh, Ken —exclamé, —¿no hay *algún* lugar al que podamos ir, estacionar en algún lado para ver a algún corredor llevando la antorcha? ¡Eso es todo lo que quiero! No me importan los saltos ornamentales ni los equilibristas. Sólo me interesa ver a un corredor con la llama encendida.

Ken es un maravilloso y amante esposo, pero no le gustó la idea. Detesta las aglomeraciones. Detesta la confusión. Detesta las demoras. Detesta el tránsito.

—Por favor, Joni; sé realista! En una situación así, jamás encontraríamos un lugar para estacionar. ¡Y va a estar todo tan atestado de gente y automóviles que no lo vas a poder ver por ningún lado!

Suspiré profundamente, y por el momento lo dejé pasar.

LUGAR:
Los Angeles,
California.
MOMENTO:
Julio de 1984.

Ese domingo a la tarde habíamos planeado ir a Little Tokio, en el centro de Los Angeles, para cenar en el restaurante favorito de Ken, un pequeño restorán en el barrio chino. Yo me había fijado en *Los Angeles Times* cuál sería el trayecto del corredor olímpico. Pensé que tal vez , sólo «tal vez», uno de ellos pasara por el centro en el momento en que nosotros nos encontráramos allí. Y quizás *entonces* podría convencer a Ken para que manejara un par de cuadras para poder verlo.

El diario decía que pasaría corriendo por el centro. Es más, ¡decía a qué hora pasaría por Little Tokio!

—Bueno, Ken —le dije lo más dulce posible, —si pudiésemos salir una hora mas temprano para ir al restaurante, creo que podríamos verlo. Inclusive podríamos conseguir una mesa al lado de la ventana y, ¡quién sabe!, quizás lo veamos.

Ken pensó que era absolutamente ridículo.

—Joni, ¡*termina con eso!* No vas a poder ver al corredor de la antorcha. Además, puedes verlo por televisión.

No dije nada más pero me llevé el itinerario, con la esperanza de poder darle, aunque más no fuera, un vistazo al hombre de la llama encendida.

Llegamos demasiado tarde. Ken no quería ni forcejear en medio de la multitud, ni quería complicarse buscando estacionamiento. Comí con disgusto y frustración mi Kung Pao porque no iba a poder ver al corredor.

Repentinamente, miré a mi marido a los ojos.

—Ken —le dije, —voy a *orar* pidiéndole al Señor que por favor yo pueda ver al corredor. ¡Eso es todo lo que quiero! Sólo quiero ver al muchacho de la antorcha. No estoy pidiendo nada más.

Ken meneó la cabeza, pagó la cuenta y salimos. Al rato nos encontrábamos en Sepúlveda Pass, en la carretera de San Diego camino a casa, en Agoura Hills. Le eché un vistazo al itinerario. De acuerdo al horario, el corredor había pasado por allí seis horas antes.

De pronto, vimos luces; muchas luces rojas de frenos.

—¡Oh, no! —gimió Ken—. ¿Qué pasa con el tráfico un domingo a la noche? ¡El corredor pasó por acá hace varias horas atrás!

Y yo pensé: «¡*Oh, no; no lo hizo! ¡Está retrasado! ¡Vamos a poder verlo!*»

Hay una ruta paralela a la carretera principal de San Diego a lo largo de cien pies. La posibilidad de cruzar la carretera en un tráfico que avanzaba a veinte millas por hora en el preciso momento en que el corredor pasara por allí era de una en un millón.

¡Pero el Señor lo hizo para mí!

Literalmente, *acompañamos* al corredor a lo largo de cien pies. El estaba a sólo treinta pies de mi ventanilla, con la llama dorada de la antorcha levantada, iluminando su imponente y definido semblante. Los helicópteros sobrevolaban encima suyo iluminándolo. Los autos de la policía con las luces intermitentes iban delante y detrás suyo.

¡Pero nosotros íbamos a la par!

Vi su cara. Vi su transpiración. Vi sus músculos. Vi la antorcha en alto. Escuché su respiración. Escuché el ruido del césped crujiendo debajo de sus pisadas. Escuché los aplausos.

—Ken...¡KEN! —le grité— ¡Mira esto! ¡MIRA ESTO!

Ken no podía creer lo que veían sus ojos. ¿Qué «estábamos» haciendo en la mano derecha de la carretera de seis manos, precisamente en el mismo instante en que mi anhelado corredor de la antorcha aparecía en el camino paralelo, cuando supuestamente tenía que haber pasado por allí seis horas antes?

Era imposible, pero, sin embargo... *mi Padre* había escuchado la susurrante oración de su hija, el simple pedido de alguien que había ido al lugar de petición.

A partir de ese día, Ken *jamás* dejó de tomar en cuenta mis oraciones. ¡Hasta me consulta cuando va a pescar!

*E*s de mañana. Todavía no he visto a nadie. En esta carretera estoy conversando con Dios. No me atrevo a meterme en el estacionamiento, apagar el motor y salir en mi silla de ruedas en dirección a la oficina sin consultar con Dios acerca de este día.

Es una oración sincera.

Es específica.

Es para pedir por la gente con quien voy a tratar durante el día, las llamadas telefónicas, las respuestas a la correspondencia recibida, mis compañeros de trabajo a quienes veo pasar por la puerta principal. Es para pedirle al Espíritu Santo que me guíe a lo largo de las horas del día y me recuerde que necesito gracia renovada en cada momento. Es para tener clara consciencia que *debo* moverme en el Espíritu y no en la carne si alguien va a ser ganado para el Reino.

LUGAR:
Mi tiempo de comunión en Agoura Hills.
MOMENTO:
Nueve y media de la mañana.

E. Stanley Jones escribió que «pedir es el símbolo de nuestro deseo. Dios no nos dará algunas cosas hasta que las queramos lo suficiente como para pedirlas». El pedir es también una manera de expresar dependencia. Una dependencia diaria. «El pan nuestro de *cada día* dánoslo hoy». Un predicador dijo: «Debemos pedir con humildad, buscar como siervos cuidadosos y golpear con la confianza de un amigo».

SE ESPECIFICO AL PEDIR

Cuando somos específicos al orar, Dios «es poderoso para hacer todas las cosas mucho más abundantemente de lo que pedimos o entendemos, según el poder que actúa en nosotros» (Efesios 3:20)

¿No es maravilloso? Dios quiere hacer por nosotros mucho más de lo que pedimos. Cuando somos específicos, nuestro Dios soberano irá mucho más allá de lo que nos podemos imaginar.

Hace algunos años fui invitada por la Asociación Evangelística Billy Graham a la ciudad de Amsterdam, para conducir dos talleres en un congreso internacional sobre evangelización en el Tercer Mundo. Se habían reunido allí evangelistas de 160 países, incluyendo Malawi, Bangladesh, India, las islas Salomón, Samoa occidental y las Filipinas. ¡Fue increíble!

Nuestro taller de trabajo para compartir a Cristo con los discapacitados tuvo una asistencia maravillosa. Durante un receso casi fui embestida por un evangelista emocionado de piel aceitunada y profusa barba. Con marcado acento de Medio Oriente me dijo:

—Soy de Irán. Debo decirle que mis amigos y yo hemos traducido sus libros a nuestra lengua para poder usarlos con los discapacitados de Teherán.

Casi no pude contener las lágrimas delante de aquel hombre.

Cuando escribí *Joni* y *A Step Further* (Un paso más) pensé que quizás algunos pocos discapacitados en silla de ruedas, como yo, se beneficiarían al leerlos. Supuse que mis parientes comprarían algún ejemplar. Pero cuando ese evangelista de Teherán me habló de la versión persa de mi libro, verdaderamente me hizo pensar.

Entonces deseé haber sido más específica en mis

oraciones acerca del ministerio de esos libros cuando se publicaron. A pesar de ello, Dios estaba haciendo mucho más de lo que yo podía imaginar, dándole a mi pequeño pedido una gran respuesta.

DEBES ESTAR SEGURO CUANDO PIDES

Ser específico en la oración es una cosa; estar *seguro* es otra.

Muchas veces desvariamos en nuestras oraciones, sin estar seguros de que aquello por lo cual estamos pidiendo se encuentra dentro de la voluntad de Dios.

¿Estamos pidiendo con la más alta gloria de Dios en mente, o es la voz del Espíritu Santo la que tratamos de ignorar? ¿Estamos magnificando al Señor con nuestra petición ...o lo estamos manipulando? ¿Cómo podemos estar seguros, –y hasta confiados– al pedir?

Analicemos la historia de Jacob, el hombre que peleó con Dios. La encontrarás en Génesis 32:2—28. Jacob luchó con el visitante divino durante toda la noche, hasta rayar el alba. Cuando el sol comenzó a aparecer en el horizonte, Dios le tocó la cadera, sacándosela de lugar.

Quien luchaba con él dijo: «Déjame porque raya el alba». Pero Jacob le contestó decidido: «No te dejaré, si no me bendices».

Debido a la perseverancia de Jacob, Dios le cambió el nombre por el de Israel, porque «haz luchado con Dios y con los hombres, y haz vencido».

¿Has peleado por algo hasta estar seguro que es la voluntad de Dios? ¿Has perseverado en la oración porque sabes que es lo correcto?

Charles Spurgeon dijo:

«Es delicioso ver a un hombre peleando con Dios, diciendo: "No te dejaré, si no me bendices", pero eso debe ser dicho suavemente, no con espíritu valentón, como si pudiéramos ordenarle al Dios de todas las

cosas que nos bendiga. Recuerda que sigue siendo una lucha humana, a pesar que esté permitido luchar con el gran YO SOY. Después de esa noche de batalla santa, Jacob pudo ver que Dios es terrible y que su poder para prevalecer no estaba en sí mismo.

»Se nos ha enseñado a decir: "Padre nuestro", pero es "Padre nuestro que estás en los cielos". Tiene que haber familiaridad, pero familiaridad santa; osadía, pero la osadía proveniente de la gracia, y ese es el trabajo del Espíritu; no la osadía o la intrepidez del rebelde que afronta descaradamente a su ofendido rey, sino la valentía del hijo que teme porque ama y ama porque teme.» Charles Haddon Spurgeon, *Discursos a mis estudiantes.*

Me gusta la oración de Martín Lutero: «Señor, en este momento haré tu voluntad porque sé que es tu voluntad». ¿Alguna vez has sido capaz de orar de esta manera? Cuando estamos seguros que aquello por lo cual estamos pidiendo es para glorificar a Dios –y no por razones egoístas o motivos impuros–, entonces podemos decir igual que Jacob: «No te dejaré, si no me bendices». Es una oración riesgosa, ¿verdad? Algunas personas se han roto el cuello para encontrar a Dios. Otras personas, como Jacob, tienen dislocado un hueso de la cadera. ¡Ah, pero que bendición ha venido!

TU LUGAR APARTADO...

¿Hay algunas preguntas específicas que quieras hacerle a Dios? ¿Hay algunas áreas específicas en las cuales necesites la ayuda de Dios? Tómate el tiempo en este momento para enumerarlas. Luego habla con Dios acerca de cada una de ellas, de a una. Si es necesario, «pelea» con El. Pídele que te muestre su voluntad en cada punto. Espera los cambios que Dios podrá hacer en tu vida.

Capítulo seis

Un lugar de disciplina

Creo que cuando no podemos orar,
es cuando más debemos orar. Si te preguntas
¿cómo se hace? te diría que ores para orar.
Ora para orar. Ora por el espíritu de súplica.
No te conformes diciendo: «si pudiera, oraría».
No. Si no puedes orar, ora hasta que puedas orar.
Charles Haddon Spurgeon

*L*os cristianos que oran en todo tiempo y lugar pueden hacerlo porque oran en un lugar en determinado momento. Estoy convencida que así fue con Jesús. El Señor fue capaz de orar a la mañana o tarde en la noche, aquí, allá y en todas partes. Pero quiero pensar que eso se debió a que tenía la disciplina de dedicar cierto tiempo para orar en un lugar determinado. Tal vez ese lugar haya sido el huerto de Getsemaní. Allí, fuera de los muros de la Ciudad Santa, El se encontraba frecuentemente con el Padre, ya fuera en las frías horas del amanecer o en la suave penumbra bajo la luna llena.

En una de esas ocasiones, El invitó a sus discípulos a acompañarlo para orar. Eso significaba la disciplina de una hora completa de alabanza, intercesión y petición. Pero a sus débiles amigos los venció el sueño. Jesús los despertó y se lamentó: «¿no pueden velar una hora?»

LUGAR:
*Mi dormitorio,
cualquier noche
de este año.*
MOMENTO:
*De 7:30 a 9:30
de la noche.*

Me gusta imaginarme pasando en puntas de pies por encima de los dormidos discípulos, y unirme audazmente a Jesús arrodillado junto a la roca, entrelazar mis manos en oración, con el espíritu anhelante y la mente alerta, lista para interceder con El.

Eso seria lo que me *gustaría* hacer. Pero los grandes discípulos comienzan de a poco.

He decidido que mi cama sea mi lugar de oración. Ken me ayuda a salir de la silla de ruedas y me acuesta a eso de las 7:30 todas las noches. Eso quiere decir que dispongo de mucho tiempo. ¡Qué bendición tengo por ser discapacitada! Otras esposas están lavando la segunda tanda de ropa, doblando toallas o acostando al tercero de sus hijos a las 7:30 de la noche. En cambio *yo* estoy inmóvil en la cama. ¡Qué privilegio!

Mi dormitorio es mi lugar de oración. Un lugar tranquilo, tenuemente iluminado. No hay ni música ni televisión. Es un *lugar* de reunión. A causa de ello, me siento compelida a orar en cuanto pongo la cabeza en la almohada. Si hay brisa afuera, oigo el susurro del viento haciendo repiquetear suavemente los vidrios de la puerta corrediza. De vez en cuando, Ken se levanta de su escritorio para venir a verme.

Puede que nuestro perro *Scruffy* se suba a la cama y se ponga a roncar. El tic tac del reloj me hace ver que el tiempo se va como la brisa cuando oro.

Hay un tiempo de alabanza, de espera, de confesión,

de oración escritural, de intercesión, de petición, de agradecimiento, de cánticos y meditación, de escuchar y luego finalizar con más alabanza. Esa es la manera de dividir una hora en segmentos de cinco minutos. Cinco minutos de alabanza, cinco minutos de oración escritural, cinco minutos de espera. *Jamás* cinco minutos de intercesión; generalmente es media hora, por lo que todo lo demás tiene que comprimirse.

Algunas noches no «siento» nada durante esas horas... pero la verdadera satisfacción es el haber hecho el trabajo de intercesión. No tienes que tener sentimientos al respecto, sólo compromiso.

Mi cama había sido «un lugar de aflicción», ya que en mi condición de cuadripléjica, la gravedad es mi enemiga. Acostada estoy más paralizada que nunca. Estar acostada de noche era la cosa más aterrorizadora. Me hacía sentir más confinada, más discapacitada, más claustrofóbica y más *limitada*.

Eso no duró mucho; ahora es mi lugar favorito. Me arrodillo con Jesús en el Huerto. Estamos juntos en esa piedra. Estoy intercediendo con El. Estoy velando con El durante una hora, dos horas, tres horas. A veces, no puedo esperar para encontrarme con El.

La gente me dice con frecuencia: «¿Cómo mantienes la compostura? Tienes una vida tan agitada y ocupada...» Es verdad. Mi agenda está muy apretada. Tengo muchas responsabilidades. Estoy viajando más que nunca. Dedico mucho tiempo corriendo de un lado para otro y, como cualquier otro creyente, debo enfrentarme a la advertencia escritural: «Estad quietos y sabed que yo soy Dios». Pero en mi vida hay una gran parte de mí que está quieta, que nunca, jamás se mueve. En mi vida existe una quietud *forzosa* y la llevo conmigo a todas partes. Y a lo largo de estos veintiséis años de parálisis he llegado a saber que es una *bendición*.

Todas las camas son iguales para mí, porque no siento

nada. No importa si estoy sobre una cama en Bucarest o en Quito, en Manila o en Moscú. Me encuentre donde me encuentre, hay una necesidad física que me obliga a acostarme a las 7:30 de la noche. Dios sabe que cuenta con una persona a la misma hora todos los días. Aquí hay una señora quien, a pesar de ella misma, siempre vendrá a la cita.

Le digo al Señor en oración: «Bueno, Señor, aquí estoy nuevamente en esta cama. Es rectangular, chata y tiene cuatro patas. Es un altar y sobre él está el sacrificio de alabanza desde donde se eleva la fragancia del incienso de la intercesión».

Aunque me temo que el secreto es otro. *Ya no es más un sacrificio*. Es una profunda y abrumadora dicha.

LA ORACION ES UN ARTE

Aunque la oración es un arte que solamente el Espíritu Santo puede enseñarnos, creo que es importante orar hasta que uno sepa cómo orar. Orar para ser auxiliado en la oración. No aprendemos a orar leyendo libros. Es algo que se va desarrollando cuando venimos al lugar de la disciplina.

Es un arduo trabajo.

Pero, como cualquier otra disciplina que al principio parece difícil, luego se convierte en un arte. Sí, la oración puede comenzar con la disciplina de rechinar los dientes hasta llegar a ser un arte que fluye hermosamente sin ningún esfuerzo.

Puedo escuchar a alguien diciendo: «Joni, sé realista. Jamás me convencerás que la oración es otra cosa que arduo trabajo».

Bien. Por favor, acompáñame en la pequeña clase de arte que voy a exponer a continuación.

¿Alguna vez te has preguntado por qué hay gente que gasta miles –y aun millones– de dólares en adquirir las pinturas de los grandes maestros? ¿Alguna vez te has rascado la cabeza, pensando que la persona que se pasa horas delante de un cuadro de Monet es un poco rara? ¿Has contemplado alguna escultura moderna, preguntándote: «*¿Qué me estoy perdiendo aquí*»? ¿Te has preguntado por qué la fotografía de Ansel Adams da tanto que hablar? ¿Cómo ve la gente el arte?

Quizás a ti te deja más perplejo el tema de la música. ¿No te resulta extraño que mucha gente gaste cientos de dólares en entradas para la temporada sinfónica? ¿Que ellos puedan sentarse y escuchar durante horas un concierto de Mendelssohn? ¿No es un poco exagerado eso?

Recuerdo cuando yo misma tuve esa actitud dubitativa con respecto al arte. Acostumbraba mirar ciertas esculturas y reirme tontamente. Al visitar los museos y ver a la gente parada largo rato delante de una pintura me daba cuenta que me estaba perdiendo la esencia. Pero mi actitud comenzó a cambiar cuando conocí a mi maestro de arte. Antes de tomar un pincel en nuestra clase diaria, dedicábamos una hora mirando libros de arte. Mi maestro de arte se detenía en una pintura de Monet y comentábamos el color y la composición. Al observar las pinturas de Cezanne y Gauguin hacíamos comentarios sobre las pruebas de colores, los experimentos, los contrastes de luz y sombra y las variaciones de matices en los azules y rosados.

Al principio me sentía, bueno... ¡aburrida! Pero cuanto más observaba y escuchaba, comencé a apreciarlo más. El dedicarle tiempo a esos maestros, página tras página, empezó a elevar mis pensamientos. Cuanto más trabajos de arte miraba, con más frecuencia visitaba los museos. Cuanto más museos visitaba, más cosas me eran reveladas. Cuanto más me era revelado, más entendía. Y cuanto más entendía, más gozo me daba. Actualmente, cuando veo a alguien estudiando a Rembrandt, entiendo lo que está apreciando.

La llave es esta: si tú no aprecias las bellas artes, entonces dedica tiempo observando obras de arte. Si no aprecias la buena música, dedica mucho tiempo a escucharla.

Conozco gente que tiene las mismas luchas cuando

observan los hábitos de oración de otros. Escuchan a alguien que está emocionado por pasar la mañana hablando con el Señor y menean la cabeza bostezando al pensar: «*Bueno, eso está bien para ellos, pero yo no puedo. No veo cómo pueden disfrutar orando... ¿o tal vez me esté perdiendo algo?*»

¿Alguna vez te has sentido así? Quizás nunca te imaginaste a ti mismo como un «guerrero de oración». Crees que ciertas personas están mejor equipadas, mejor entrenadas o que sus personalidades los inducen a orar mejor que a la tuya. Francamente, la única manera en que tú y yo desarrollemos un auténtico gusto por orar, es orando. La oración en sí misma es un arte que solamente el Espíritu Santo nos puede enseñar.

Ora para orar.
Ora para ser auxiliado en la oración.
Ora hasta que te guste orar.

La oración se parece a muchas otras disciplinas. Como el arte y la música, es una disciplina que puede apreciarse solamente cuando le dedicamos tiempo. Pasar tiempo con el Maestro elevará tus pensamientos. Cuanto más ores, más te será revelado. Entenderás. Sonreirás y moverás la cabeza al identificarte con aquellos que luchan en largas batallas y encuentran gran regocijo de rodillas.

No podemos darnos el lujo de rechazar la disciplina en la oración de la misma manera en que el soldado no puede darse el lujo de tomarse vacaciones cuando se encuentra en el campo de batalla.

Cuanto más ores, más te parecerás a Abraham, quien se sentía polvo y cenizas. Serás como Jacob, quien dijo: «No te dejaré, si no me bendices». Estarás preparado para enfrentarte con lo que te espera en la vida. Cuánto más ores, más entenderás, más gozo tendrás y sabrás más acerca de la grandeza de nuestro Dios.

TU LUGAR APARTADO...

Si estás deseoso por buscar a Dios, deberías estar deseoso de orar. Tómate un momento ahora para orar. Deja el libro a un lado, cierra los ojos, aquieta tu corazón y acalla tus pensamientos. Recuerda el lugar de polvo y cenizas.

Arrodíllate delante de Dios en tu mente, en el suelo de la sala del trono. Acércate con reverencia, admiración y santa cautela. Dios es muy real y debemos ser humildes al saber que El se deleita en escuchar nuestras peticiones, que le da la bienvenida a nuestras palabras y que está feliz de escuchar lo que le digamos. Podemos levantar manos santas ante El, manos limpias por la sangre de Jesús y decir: «Padre, te alabamos, te adoramos, te exaltamos, te magnificamos y glorificamos».

Háblale a Dios por unos minutos acerca del hablar con El. Conversa con El específicamente acerca de la oración. Pídele que te ayude a entender, porque su promesa es revelarnos. Y al hacerlo recibirás gozo. Ora en el nombre de Jesús y agradécele por recibirte en su familia. Alaba a Dios por Jesús y por escucharte, da gracias a Jesús. Agradécele por encontrarse contigo en el lugar apartado y tranquilo y por traerte al lugar de disciplina que te llevará más cerca suyo.

Capítulo siete

Un lugar para escuchar

En quietud y en confianza será vuestra fortaleza ...
que procuréis tener tranquilidad.
Isaías 30:1; 1ª Tesalonicenses 4:11

Habla, Jehová, porque tu siervo oye.
1º Samuel 3:9

*M*i computadora está acompañada esta mañana. Entonces, tiene compañía todas las mañanas. Una Biblia está apoyada sobre el disco duro y un himnario lo hace al lado de la pantalla. Un muy usado *Libro de oraciones* reposa sobre un estante, al alcance de la mano. En un estante más abajo, flanqueando el teclado, se encuentra un libro de poesías cristianas sobre los nombres de Jesús.

Estas son herramientas que me ayudan para escuchar a Dios. Como cualquier otra persona durante el día laboral, estoy continuamente cambiando de tareas. Pero no me atrevo a cambiar de actividades sin antes hacer una pausa para darle gracias a Dios por la que acabo de realizar ...y pedirle que me guíe en lo próximo que voy a hacer.

Eso significa detenerse a escuchar.

Eso significa levantar mi «antena espiritual» para discernir con claridad su señal direccional.

LUGAR:
*En mi oficina, delante
de mi computadora.*
MOMENTO:
Casi todas las mañanas.

¿Qué es lo que hacemos en mi oficina? Tal vez Francie y yo abrimos el himnario y entonamos «Mi fe se eleva hacia ti». O podemos agarrar a una compañera que va de camino a la copiadora cuando pasa por la puerta de la oficina y la hacemos cantar con nosotras una estrofa de «Grande es tu fidelidad». Nos tomamos un momento para analizar uno de los nombres de Jesús. *Consejero. Palabra de Dios. Pan de vida. Anciano de días.* Quizás después tomemos un poco de café, nos tomemos de las manos y oremos... lo que siempre incluye tener «oídos abiertos» a la próxima tarea que el Señor quiere que se realice, ya sea un artículo o una carta o un programa de radio o parte de un manuscrito.

Tú podrías llamarlo «cebar la bomba», yo lo llamo «escuchando a Dios». Yo escucho su voz. Espero. Me tomo tiempo. Y Él nunca ha fallado en venir a mi encuentro en ese lugar para escuchar. Él me da instrucciones, me da sus impresiones, convicciones, direcciones, sus amables negativas, así como también sus afirmaciones. Él susurra: «Este es el camino, anda por él y no tuerzas a la mano izquierda ni vayas a la mano derecha. No vayas hacia atrás. Sigue adelante y yo estaré contigo».

Lo mismo sucede en mi estudio de pintura. Entro al cuarto con mi silla y ahí está la gran pizarra... grande, blanca, lista, atemorizante. Me intimida. Me asusta. A veces me siento débil o torpe, como si no se me fuera a ocurrir ninguna nueva idea el resto de mi vida.

—¡Oh, Dios! —susurro, —¡Ayúdame! ¿Qué hago? ¿Qué es lo que Tú quieres que haga?

Y en la quietud de mi pequeño estudio hago casi lo mismo que delante de la pantalla en blanco de mi computadora. Leo algún pasaje bíblico. Canto un himno, murmuro una oración. Escucho música clásica. Hojeo algún libro de arte, dejando que mis ojos se posen en los trabajos de los maestros. Me rodeo de colores. Y entonces... escucho. Escucho su voz. Espero a ver por dónde quiere que empiece. Qué es lo que quiere que haga.

Tomo distancia del caballete para no tentarme y comenzar prematuramente a dibujar o pintar. Dejo que haya mucho, mucho silencio en la habitación. Y espero. Y espero. Hasta que oigo algo. Entonces digo: «Sí. Sí. Por supuesto. Esa es la forma en que quiero comenzar. Así es como debe ser.»

Esperar que Dios hable a veces puede durar bastante. En diferentes sitios alrededor del mundo me he quedado esperando mis instrucciones detrás de la tarima, y sin ninguna seguridad de lo que tenía que decir. Días antes de mi testimonio le pregunté una y otra vez: «¿Qué quieres que comunique aquí? ¿Qué es lo que esta gente necesita escuchar de Ti?» Se acercaba el día y El todavía no me lo había dicho; la tensión aumentaba. En un momento —casi una hora antes de que tuviera que hablar— clamé a El en mi habitación del hotel: «Pero Señor, ¡no me has dicho que quieres que diga!»

La respuesta llegó. Las palabras están allí cuando las necesito, aunque no siempre cuando las *quiero*.

Escuchar en oración es absorber mentalmente las instrucciones divinas concernientes a las actividades del día. Escuchar significa no tomar el día con una sola arremetida sino hora a hora, o incrementando momento a momento. La agenda organizada a la mañana para todo el día puede, como un mazo de naipes, barajarse al mediodía. Las circunstancias pueden cambiar. Los planes pueden cambiar. Esa es la razón por la cual es tan importante estar con los oídos atentos a cada hora.

Escuchar implica confianza en que Dios verdaderamente desea hablar con nosotros. Solamente cuando aprendemos a escuchar la voz del Padre podemos aprender a cerrar los oídos a las voces del mundo.

Es muy fácil escuchar nuestras propias voces porque, básicamente, somos personas egoístas. Pero es cuestión de sintonización –afinar el oído del corazón– para discernir los deseos y las intensiones de Dios. Significa, como dice la Escritura, *inclinar el oído* a lo que El tiene que decir, así como El inclina su oído a nuestras oraciones. Cuando pienso en Dios escuchando mi oración, me imagino a una niñita tirándole del pantalón a su papá. Y ese hombre grande se agacha y mira a su hijita a los ojos diciendo: «Estoy escuchando, querida. ¿Qué quieres?» Si así es como Dios escucha mi voz, también yo quiero escuchar todo lo que El tenga que decirme.

Nuestra tendencia habitual es orar con nuestra agenda, asumiendo que cualquier cosa que Dios tenga en su corazón verdaderamente está de acuerdo con lo que hay en el nuestro. Para ser honesta, nuestra tendencia es que no tomamos en cuenta el deseo de su corazón en relación a nuestro tiempo de oración. A eso se debe nuestra falta de interés en escuchar.

Tapamos su voz haciendo mucho ruido y movimiento. Oímos al Espíritu Santo hablando suavemente a nuestro corazón, pero completamos su frase asumiendo que entendimos. O recibimos su mensaje, pero estamos muy ocupados o muy distraídos como para entenderlo. Nos decimos a nosotros mismos que más tarde vamos a volver a revisarlo, pero el momento ya pasó.

Para muchos de nosotros la oración se ha convertido en una declamación de una sola vía, donde exponemos nuestras necesidades, deseos y pensamientos. Y, aunque es verdad que a El le gusta oírnos hablar, también quiere hablarnos a nosotros.

Así sucede con los amigos.

TU LUGAR APARTADO...

Puede ser que tú no seas un artista o un escritor. Puede ser también que tú no te enfrentes con un lienzo en blanco o una pantalla de computadora en blanco cada mañana. Pero cada día que tenemos por delante está en blanco, ¿verdad? Y cada uno de nosotros, no importa quiénes seamos, nos enfrentamos a cientos de tareas diferentes todos los días.

Entre esas tareas, aunque el tiempo sea escaso, hay un lugar para escuchar a Dios.

Hay un momento para inclinar nuestras antenas para captar su señal. Hazlo hoy. Inténtalo. Antes de escribir esa carta, antes de hacer ese llamado, antes de bajarte del auto, antes de pasar a buscar cualquier cosa que tengas que recoger para lo que necesites hacer, tómate un momento para entrar en el lugar para escuchar. Piensa que el Señor está interesado en cada detalle de tu día. Deténte para reconocerlo e inclina tu oído para escuchar su voz.

Has marcado su número una y otra vez. ¿Estás listo para que El conteste tu llamado?

Capítulo ocho

Un lugar para exponer tu caso

No supongas que has orado hasta que hayas suplicado,
porque la súplica es la verdadera esencia de la oración.
Charles Haddon Spurgeon

*C*uando mi marido y yo discutimos, debo admitir que Ken es un muy buen peleador. Generalmente se enoja sin llegar a ser destructivo. El pelea, pero pelea limpio. Con excepción de la otra noche.

Estábamos discutiendo en la sala por algo trivial y la discusión era atenuada. Pero su temperamento se irritó cuando le señalé algo tonto. Eso lo encendió. Ken salió de la sala dando un portazo. ¿Sabes lo que eso significa? Yo no podía seguirlo. Físicamente, no puedo abrir la puerta de la sala para ir a la cocina. Estaba aturdida. Para mí, eso no era pelear limpio. Bien, le puse la tapa a mi temperamento, bajé el tono de voz, y amablemente le recordé a Ken

LUGAR:
El hogar de los Tada
en Calabasas, California.
MOMENTO:
Siete de la noche.

que cerrar la puerta era un golpe bajo. Al decir eso, la puerta de la sala se abrió lentamente y pude entrar a la cocina con mi silla de ruedas. Me alegra decir que nuestra tonta discusión se resolvió.

¿Pelear limpio? Es fundamental si tú y tu esposa –o tu amigo, o tu compañero de cuarto– van a ser capaces de exponer sus diferencias y trabajar en ellas con honestidad. Ese es un buen principio para acercarse a Dios con nuestras razones y convicciones. El te da un lugar para abogar por tu caso, pero hay reglas para presentar un buen argumento.

Primero, *argumenta*, no pelees. Cuando Ken y yo argumentamos, primero nos mordemos la lengua, luego nos sentamos a razonar. Debo prometer escuchar con corazón y mente abiertos durante quince minutos. No puedo interrumpir, ni defenderme. Prometo escuchar sabiendo que después de quince minutos Ken se quedará callado y yo expondré mi punto de vista. Esa será mi oportunidad de hablar acerca de mi caso, dar buenas razones y señalar la evidencia.

Lo conversamos hasta que el conflicto queda resuelto. Mi silla de ruedas nos ha enseñado cómo manejar nuestro enojo apropiadamente. Yo no puedo salir de casa dando un portazo, meterme en el auto e irme a la casa de una amiga. Tampoco puedo irme a la cama temprano, cerrar con llave la puerta del dormitorio, taparme hasta la cabeza y darle la espalda a mi marido en señal de disgusto. ¡La peor cosa que puedo hacerle es pasarle con la silla por arriba de los pies!

Espero que entiendas por qué nos ajustamos a lo que Pablo escribió en 2ª Corintios 12:9–10:

> «*Bástate mi gracia; porque mi poder se perfecciona en la debilidad. Por tanto, de buena gana me gloriaré más bien en mis debilidades para que repose sobre mí el poder de Cristo. Por lo cual, por amor a Cristo me gozo en las debilidades, en afrentas, en necesidades, en*

persecuciones, en angustias; porque cuando soy débil, entonces soy fuerte.»

Para nosotros, mi silla de ruedas es una ventaja, más que una desventaja. Ella, como ninguna otra cosa, nos ha enseñado a discutir.

¿QUE SIGNIFICA «ARGUMENTAR»?

Me encantan las palabras. Me resulta fascinante encontrar el origen y el significado de una palabra.

Consideremos la palabra *discusión*. Muchos de nosotros, al escucharla, pensamos inmediatamente en pelea, ¿verdad? Nos imaginamos un excitante alboroto donde dos personas coléricas se lanzan un torrente de amargas palabras subidas de tono, terminando, generalmente, arrojando objetos por la habitación.

Sin embargo, *discutir* viene de *clarificar* o *razonar*, y es parcialmente definida en el diccionario como «*examinar con mucho cuidado una cuestión. Debatir*». En otras palabras, discutir es analizar un asunto cuidadosamente, exponiendo evidencias. Cuando la gente discute expone pruebas que sostienen sus convicciones.

¡Entonces *discutir* es una palabra buena!

Cuando piensas en ello, hay varias historias en la Biblia acerca de grandes hombres de fe discutiendo con el Señor. Job expuso su caso ante el Señor, pero no peleó. El enojo no tuvo nada que ver con su argumentación. El, simplemente, quiso presentarse a sí mismo y presentar sus convicciones delante del Señor.

No discutas con enojo

El matrimonio me ha enseñado muchísimo acerca del significado de la palabra *discusión*. Hace casi doce años que estoy casada y no pretendo ser una experta en matrimonio, pero debido a mi discapacidad, mi esposo y yo hemos aprendido mucho acerca de cómo discutir.

Es inevitable que una de las partes se enoje.

En algún punto, uno de ellos va a sentirse herido por algo inesperado o debido a algún malentendido. El enojo puede incrementarse. Ahora bien, el enojo en sí mismo no es pecado, pero la Biblia dice que debemos manejarlo con cuidado para no pecar.

La peor manera de manejarlo es peleando. Pelear en lugar de discutir es un estallido de gritos, una respuesta temperamental para demostrar quién de los dos puede tirar la flecha más grande. Sé que cuando he peleado me he sentido como leyendo un mal libreto: «¡Tú nunca haces esto! ¡Siempre haces aquello! ¡Me vuelvo loca cuando tú...» ¿Te resulta conocido?

Pelear es la peor manera de manejar el enojo. En cambio, Dios quiere que discutamos.

DANDOLE TUS RAZONES A DIOS

Discutir, entonces, significa *exponer las razones* o *mostrar la evidencia.* Cuando alguien discute presenta pruebas de sus convicciones. ¿Recuerdas lo que dijo Job? «¡Quién me diera el saber dónde hallar a Dios! Yo iría hasta su silla. Expondría mi causa delante de él, y llenaría mi boca de argumentos» (Job 23:3–4).

Si hay algún motivo que crees firmemente que debes presentarlo ante Dios en oración, prepárate para discutirlo, da las razones por las cuales sientes que el Señor se glorificará a través de tu pedido. Llénate la boca con una buena defensa, no con frases desordenadas y superficiales o que hayas repetido miles de veces con anterioridad. Discutir significa tomarse el tiempo para presentarle a Dios las razones.

Admiro las oraciones «argumentativas». Creo que Dios se complace en escuchar a alguien que se toma en serio la oración como para defender aquello que cree. Recuerda lo que Dios le dijo a Isaías: «Venid luego, dice Jehová, y estemos a cuenta» (Isaías 1:18).

Dios nos pide que razonemos con El, que pesemos seriamente nuestras palabras cuando venimos a su encuentro, que traigamos nuestra defensa bien pensada a la oración. Como dijo Spurgeon: «Cuando un hombre busca argumentos para justificar algo es debido a que ese asunto es importante para él». Y Dios ama a alguien que conversa así con El.

Pero, ¿por qué debemos argumentar? Bueno, evidentemente no se debe a que Dios necesite ser informado. El sabe las razones de nuestras circunstancias, y conoce más acerca de nuestra situación que nosotros mismos. No hay nada que podamos decirle a Dios que El ya no lo sepa. No discutimos porque Dios no conozca el tema. No discutimos porque El sea lento para dar y tiene que ser empujado y movido para que haga su voluntad. No discutimos para su beneficio sino para el nuestro.

Debemos involucrarnos en nuestras oraciones, probar nuestros pensamientos para saber si el asunto es verdaderamente del Señor y es su voluntad. Parafraseando lo que Dios le dijera a Isaías: «Ven ahora, ponte tu gorra para pensar y razonemos juntos sobre este asunto. Comprométete en la oración, Isaías, para que yo vea que le estás dando importancia a todo lo que estás diciendo».

El Señor se complace en ver a sus hijos viniendo a El de esa manera. Dios quiere que nos involucremos en la oración. El no quiere que le hablemos solamente sino que conversemos con El.

El Señor te dice que vengas a razonar con El. Dios le extendió la invitación a Isaías y te hace la misma invitación a ti hoy.

*H*ace algunos años mi editor me envió a dar un viaje nacional para promover el libro que acababa de completar. Eso significaba muchas reuniones en librerías y mucha gente haciendo largas filas para que les diera mi autógrafo.

LUGAR:
Una librería en
Grand Rapids,
Michigan.
MOMENTO:
Octubre de 1987.

Me sentí mal al ver el tiempo que me llevaría firmar todos esos libros. Tengo que firmar con una pluma entre los dientes y no puedo hablar con la gente y escribir a la vez.

Bueno; en la fila había una chica de unos diez años. Tenía en la mano una gastada copia de mi primer libro, *Joni*. Dijo con voz tímida:

—Me llamo Kitty. Leí este libro cuando era pequeña. Significó mucho para mí porque estaba enferma del corazón y no podía salir a jugar con mis amigas. Joni, no sé... tengo muchas preguntas con respecto a Dios.

En ese momento hice un esfuerzo por no llorar. Vi a su madre palmeándole el hombro. No tuve tiempo para conversar con la mamá de Kitty en privado en ese momento, pero oré en mi corazón: «*Querido Dios, permite que esa mamá deje a su hija hacerse preguntas*».

Mientras Kitty me miraba con sus ojos azules llenos de lágrimas, mis pensamientos corrieron hacia aquellos días en el pasado en que yo, como ella, tuve muchísimas preguntas acerca de Dios. En ese entonces me reconfortó saber que el Dios de la Biblia no se ajustaba a la medida humana sino a la divina. El podía manejar mis más duras preguntas. Dios no se intimidaba por mis preguntas ni se atemorizaba por mis dudas. Es más, a veces me parecía escuchar a Dios diciéndome: «Ven ahora, Joni, razonemos juntos. Ponte tu gorra de pensar. Resolvamos este asunto».

Me incliné hacia Kitty y le dije:

—No tengas miedo de tus preguntas. Nuestro Dios es lo suficientemente grande como para manejar tus más grandes dudas. De hecho, hubo un hombre en la Biblia que dijo: «Señor, creo. Ayuda mi incredulidad». Kitty, eso es lo que estás haciendo cuando hablas con Dios. Tú crees en El simplemente porque le hablas. Pero sé lo suficientemente honesta como para compartir tus preguntas y preocupaciones. El no se va a intimidar. Ten por seguro que le encantará hablar contigo.

El rostro de Kitty se llenó de asombro ante la revelación. Cuando sonrió fue como si una luz brillante se hubiese derramado sobre su cabeza al darse cuenta que Dios no se atemorizaba ante sus preguntas. Debido a eso, ella no debía temer el presentarle sus preocupaciones al Señor. Igualmente, El ya las sabía. ¿Por qué Kitty no podría ser honesta con Dios y presentarle lo que tenía en su corazón? Ella necesitaba ser consolada, no necesitaba sofocar su conflicto sino pensar a través de su fe, hasta que pudiese entender mejor el carácter de Dios y sus respuestas a sus preguntas.

Me puedo identificar con Kitty.

Cuando tuve el accidente, mi mente se llenó de preguntas. Cuando supe que mi parálisis iba a ser de por vida, surgieron más preguntas aún. Desesperada por encontrar respuestas, leí el libro de Job.

Dios espera preguntas

Según mi razonamiento, Job había sufrido terriblemente y le había hecho preguntas a Dios repetidas veces. Quizás yo pudiera encontrar consuelo y discernimiento siguiendo su manera de buscar respuestas.

Francamente, es irónico que muchos cristianos vayan a Job en busca de consuelo y ayuda. En realidad, el libro levanta más preguntas que respuestas. En vano buscarás en sus páginas una respuesta clara y concisa sobre el por qué del sufrimiento humano. No sólo que Dios se niega a contestar las agonizantes preguntas de Job, sino que también declina comentar acerca de las teorías teológicas expuestas por los amigos de Job.

Y no nos equivoquemos, las preguntas de Job no eran del tipo de las que se hacen en la escuela dominical. Eran agudas. Iban al grano y muchas veces estaban al borde de ser blasfemas.

- «¿Por qué no morí yo en la matriz, o expiré al salir del vientre?» (3:11).
- «¿Por qué me recibieron las rodillas? ¿Y a qué los pechos para que mamase?» (3:12).
- «¿Por qué se da luz al trabajado, y vida a los de ánimo amargado?» (3:20).
- «¿Cuál es mi fuerza para esperar aún? ¿Y cuál mi fin para que tenga aún paciencia?» (6:11).
- «¿Es mi fuerza la de las piedras, o es mi carne de bronce?» (6:12).
- «Ya que la vida es tan corta, ¿tiene que ser tan miserable?» (7:1–10).
- «¿Hasta cuándo no apartarás de mí tu mirada y no me soltarás siquiera hasta que trague mi saliva?» (7:17, 19).
- «¿Por qué me pones por blanco tuyo hasta convertirme en una carga para mí mismo?» (7:20).
- «¿Por qué no quitas mi rebelión y perdonas mi iniquidad? Porque ahora dormiré en el polvo, y si me buscares de mañana, ya no existiré» (7:21).
- «¿Y cómo se justificará el hombre con Dios?» (9:2).
- «¿Por qué favoreces a los impíos?» (9:24).
- «Ya que has decidido que soy culpable, ¿para qué voy a intentar?» (9:29).
- «Tú eres quien me creó, ¿por qué me destruyes?» (10:8).

- «¿Por qué escondes tu rostro y me cuentas por tu enemigo?» (13:24).
- «¿Por qué no nos encontramos cara a cara para que pueda exponer mi caso» (32:3–6).
- «¿Por qué no juzgas a los hombres impíos?» (24:1).

Los amigos de Job estaban espantados de sus preguntas. Ellos esperaban traerle luz al sufriente hombre. Pero la luz no llegó.

Para mí, ese es el consuelo del libro de Job. Lo que ha sido más importante para mí en mi sufrimiento fue que Dios nunca condenó a Job por sus dudas y su desesperación. Dios estaba dispuesto a hacerse cargo de las preguntas más difíciles. ¿Y las respuestas? No eran las que Job estaba esperando.

De la misma manera, cuando se trata de mí, no estoy segura de encontrar «las respuestas». ¿Qué pasaría si repentinamente Dios consintiera en contestar todos mis interrogantes? ¿Podría manejarlo? Sería como echar millones de verdades en un recipiente de medio litro.

Como volcar el agua de una torre en una tacita de té de muñecas. Mi pobre cerebro no sería capaz de procesarlo.

Por alguna extraña razón, me reconforta darme cuenta que Dios no me condena por hacerle preguntas. No debo temer que Dios se ofenda por mis exabruptos en momentos de tensión, temor y sufrimiento. Mi desesperación no va a conmoverlo. De acuerdo al libro de Job, Dios no puede ser amedrentado por las preguntas de Job, de Joni, de Kitty o las tuyas. Dios puede manejar cualquier pregunta que tengas.

La próxima vez que te encuentres ante una situación paralizante que requiera oración, discute con Dios acerca de lo que tú piensas, para que El sea glorificado en esa situación. Preséntale las razones que tu crees que deberían moverse o actuar para que se hiciera su voluntad. Dile lo que crees que haría avanzar su Reino, estimular a su pueblo, honrar su Palabra. Déjale saber que estás en busca de su corazón. Hazle saber que quieres abogar, y al hacerlo, muéstrale que le estás dando gran importancia a la petición que le haces delante de su trono. Y no te olvides de discutir bien, mantén la mente abierta a los cambios y asegúrate de escuchar su voz. ¡Después de todo, Dios tendrá una o dos cosas que discutir contigo!

TU LUGAR APARTADO...

Piensa en alguna petición o intercesión que hayas hecho recientemente en oración. Puede ser que haya sido algo tan sencillo como:

«Señor, por favor, ¿podrías traer a alguien que ayude a mi vecina discapacitada. Ella tiene tantas necesidades y no puede sola.»

Enumera cinco buenas razones para tu petición. Ellas podrían incluir:

1. *«Señor, Tú fuiste compasivo con las personas discapacitadas cuando caminaste en la tierra y supliste sus necesidades. Por favor, suple las necesidades de mi amiga de la misma manera.»*
2. *«Señor, Tú has prometido alimentar a las aves y vestir a las flores del campo. Mi vecina discapacitada tiene necesidades básicas iguales a esas y ella te preocupa más que las flores y las aves.»*
3. *«Señor, mi vecina necesita ver y sentir tu cuidado personal. Alguien que la ayude, para ella sería como tus "manos".»*
4. *«Señor, a ti te importa el "último de los hermanos", y mi vecina discapacitada verdaderamente entra en esa categoría. Te ruego, por favor, suple sus necesidades como evidencia de tu preocupación por el último de los hermanos.»*

5. «*Señor, mis demás vecinos se animarán a ayudar e in-clusive a "saber que somos creyentes por el amor que nos tenemos unos a otros".*»

¿Comprendes la idea? Saca un lápiz, un anotador y tu Biblia, y enumera las cinco razones que tienes para hacer esa petición especial que guardas en tu corazón. Luego arrodíllate en su presencia y expónle tu caso.

Capítulo nueve

Un lugar para asirse

Tú y yo podemos asirnos en todo momento de la justicia,
la misericordia, la fidelidad, la sabiduría, el largo sufrimiento
y la ternura de Dios, y encontraremos que ellos
son los atributos del Altísimo que podemos usar
como arietes con los cuales golpear las puertas del cielo.
Charles Haddon Spurgeon

*F*recuentemente oro por los niños del mundo, basándome en la ternura y la compasión mostradas por Dios hacia ellos. Pido su amor y me aferro fuertemente a la promesa de quién es El.

Hasta una lectura superficial de la vida de Jesús en las Escrituras muestra cómo estos atributos de su carácter brotan como el agua viva de un pozo cada vez que se encontraba cerca de un chico. Era como si no pudiera contenerse para bendecirlos, acercárselos a El y honrarlos, dándoles el primer lugar en el Reino. Si esa fue la manera de comportarse con los niños que corrían hacia El, chicos y chicas que podían

LUGAR:
Orfanato 7,
Bucarest, Rumania.
MOMENTO:
Junio de 1991.

caminar a su encuentro, ver, oír y usar sus manos, ¡cuánto más habrá sentido en su corazón por los niños discapacitados...! Fue bueno entrar al orfanato de Bucarest con este pensamiento en mente. Especialmente cuando trajeron en brazos al pequeño Vasile para que me conociera.

Dijeron que tendría 7 u 8 años, no obstante parecía de apenas tres. Nos dijeron que se estaba muriendo de cáncer de colon. Lo miré..., manos y pies chiquitos..., vocecita apagada..., suaves ojos pardos, nublados por el sufrimiento. Parecía débil a causa de la desnutrición. Cuando le levantaron la camisita para mostrarme su estómago distendido, El se quejó de dolor.

Le pedí a Vasile que se sentara en mi falda.

—Vasile —le dije, —¿alguna vez tuviste la oportunidad de andar en bicicleta?

—No.

—¿Te gustaría dar un paseo en mi silla de ruedas?

Asintió con la cabeza.

—Voy a compartir mi silla contigo, Vasile.

Dimos vueltas y vueltas en la sala con piso de cemento, mientras una persistente lluvia se deslizaba por los vidrios de las ventanas.

Esbozó una tenue sonrisa. Mientras dábamos vueltas por la austera salita improvisé una canción: «Vasile es tu nombre. Vasile es tu nombre».

—Vasile, ¿conoces a Jesús? ¿Sabes dónde vive Jesús? El vive en el cielo. ¿Quieres estar con El en el cielo?

Vasile asintió con la cabecita.

Entonces oré: «Querido Señor, te queremos y nos gusta la forma en que amas a los niños. Este pequeño también te ama. Llévatelo a casa para que esté contigo, Jesús».

Mary Lance, una de nuestras guerreras de oración de primera fila de nuestro equipo, oró para que, si era la voluntad de Dios, ese varoncito fuese sanado.

También yo oré en silencio con todo mi corazón:

«*Señor, Tú te compadeciste de los pequeñitos cuando anduviste caminando por el mundo, y Tú eres el mismo hoy en día..., fortalece a estos niños, que te sientan cerca de ellos. Suple sus necesidades como lo hiciste con aquellos a quienes les impusiste las manos*».

Basamos nuestra petición en el poder de los atributos de Dios. Y el Señor escuchó nuestra oración. Vasile se sanó. No tenía cáncer sino una enfermedad tratable. Hoy en día tiene una familia y un hogar en Bakersfield, California. El está sano e intacto y hace las mismas travesuras que hacen todos los chicos del mundo.

Y tiene su propia bicicleta.

AFERRANDOSE A SU CARACTER

En los primeros días de mi parálisis estaba desesperada por una promesa –cualquier promesa– que le diera esperanza a mi negra y desolada existencia. ¿Volvería a sonreír? ¿La vida tendría sentido? ¿Saldría algo bueno de un par de manos y pies inservibles?

Un delgado rayo de esperanza apareció cuando una amiga me mostró una promesa en la Biblia que hablaba de la fidelidad de Dios. Filipenses 1:6 me hablaba de confiar en «que el que comenzó en vosotros la buena obra, la perfeccionará hasta el día de Jesucristo».

Mi amiga me instó a que me aferrara de esa escritura, diciendo:

—Joni, ¿por qué no usas ese versículo como una especie de «palanca». Mantén a Dios en su Palabra. Cree en que Dios ha comenzado una buena obra en ti aun antes de tu accidente. ¿Por qué no te sostienes en oración, creyendo que El llevará a cabo la buena obra, a pesar de que te encuentres en una silla de ruedas?

Tenía sentido. Mi pasaporte para salir de la depresión sería la fidelidad de Dios. Asiéndome a su fidelidad, yo citaba Filipenses 1:6 en oración, una y otra vez, como si fuera la soga de un salvavidas. No oré una vez sino muchísimas veces, golpeando y golpeando a la puerta de su misericordia y bondad, hasta que El la abrió.

Obviamente, Dios no necesita que se le recuerde su fidelidad, pero francamente creo que El se deleitó con mi oración. El disfrutó que yo hubiese tomado muy en serio mi oración, que estuviese lista para discutir acerca de su fidelidad y le dijera:

> *«Señor, fuiste Tú quien escribió ese versículo en Filipenses y te estoy agarrando de él. Yo sé que guardas tus promesas, porque en el Salmo 89 dices que jamás traicionarás tu fidelidad. Por esa razón puedo decir confiadamente que esta es tu voluntad: "completarás en mí la buena obra que comenzaste antes de mi accidente".»*

Hubo alivio en mí al ser capaz de orar de esa forma. ¿Y sabes algo? Encontré paz. Se me fue la depresión. Dios había sido fiel. El mantenía su promesa.

EL CONTINUA LA BUENA OBRA

¡Qué diferencia marcó esa oración! Fue como si Dios hubiera acelerado mi caminar con El a gran velocidad, y comencé a crecer a pasos agigantados. Sin saber como, empecé a tener sed por su Palabra. Sorpresivamente, me encontré hambrienta por su justicia. Comencé a ver a Dios «completando» en mí la obra de su Hijo. Mi nueva vida, la cual estaba llena de paz, paciencia y gozo, era un resultado milagroso de esa sencilla oración en la cual me había aferrado de la fidelidad de Dios.

¿Qué hubiera pasado de no haber hecho esa oración? ¿Qué hubiera pasado si no hubiese sido lo suficientemente audaz como para recordarle a Dios su fidelidad, como dice Filipenses 1:6? ¿El Señor hubiese seguido adelante con su tarea de completar en mí su buena obra? ¡Seguro que lo hubiese hecho! ¡El es fiel a sus promesas, ya sea que yo se lo recuerde o no! Pero ahí está el punto. Creo que en esos momentos de súplica fue cuando nació una ligadura especial, cuando hubo un mayor acercamiento entre el Señor y yo. Y, ¿quién sabe?, quizás mi vida no hubiese cambiado tan dramáticamente de no haber orado de esa manera. Tal vez, Dios haya acelerado el proceso.

EL CONTINUA LA BUENA OBRA EN TI

Puedo imaginarme tus pensamientos: «*Este capitulo me hace sentir culpable. Yo no puedo orar de esa manera... No conozco tantos versículos de las Escrituras como para hacer una sola frase en oración. Soy demasiado tímido como para orar usando los atributos de Dios. Creo que el Señor jamás trabajaría conmigo de esa manera*».

Si te he descrito, si tú crees que Dios no llevará a cabo «la buena obra que ha comenzado en ti hasta terminarla», entonces reconfórtate con la siguiente historia:

Hace algunos años me pidieron que grabara un álbum con canciones. Para tener una idea de cómo se hacía fui al estudio de grabación varios días antes para escuchar al resto de los músicos que hacían la música de fondo. En el grupo se encontraban los mejores músicos de Los Angeles; violinistas y percusionistas, guitarristas, pianistas y demás.

Me asombró ver con qué facilidad estos músicos podían tocar algo complicado con sólo darle un vistazo a la partitura. Y lo más asombroso fue escuchar la hermosa música que ejecutaban.

Lo que sucedió después me sorprendió más aún. Cuando los ingenieros de sonido pusieron la grabación, la mayoría de los músicos se retiró. Se tomaron un descanso dando una vuelta por afuera, tomando algo fresco o café, ajenos a la bella música que acababan de crear. ¡Yo no lo podía creer! ¿Cómo podían irse sin desear escuchar cómo sonaba al final la bella música? No tenían interés, porque ya habían hecho infinidad de grabaciones. ¿Qué tenía esta de especial? Ellos hicieron bien su trabajo y lo daban por terminado.

A diferencia de estos músicos, Dios no se aparta de su creación. Su carácter está enlazado a su Palabra como su amor y misericordia lo están en Filipenses 1:6. Eso quiere decir que a pesar de haber trabajado en miles de vidas, no se toma un descanso. El está creando algo hermoso en ti, algo mucho más bello que una sinfonía. Para El, no es un trabajo más que hay que terminar. Su reputación está en juego y la imagen de su Hijo es el modelo. Lo que Dios tiene en mente es perfección, la madurez en Cristo es el resultado final que El busca.

Por favor, no tengas temor pensando que tu vida de oración jamás avanzará hasta llegar a «asirse de los atributos de Dios». No te des por vencido... y no pienses que Dios se da por vencido contigo. El quiere que se complete en ti la obra que ha comenzado en tu vida. El va a estar a tu lado todo el trayecto, hasta el día de Jesucristo, para ver y oír el poderoso impacto de tus oraciones.

PIDE CONFIADAMENTE
EN BASE A LOS ATRIBUTOS DE DIOS

Ya que Dios está tan pendiente de lo que está haciendo en tu vida, tu puedes confiadamente asirlo a su Palabra y reclamar sus atributos en oración. A Dios le gusta cuando nosotros, conscientemente, buscamos su gloria, su voluntad, su carácter y su corazón en cualquier situación. Abraham oró de esa forma. Cuando el anciano patriarca presentó su caso ante Dios, le recordó al Señor: «El Juez de toda la tierra, ¿no ha de hacer lo que es justo?» (Génesis 18:25). Obviamente, Dios no necesita que se le recuerde su propia justicia. La oración de Abraham fue persuasiva porque él abogó usando el carácter de Dios.

El profeta Habacuc apeló a Dios muy naturalmente en su oración. Para el pueblo de Judá era un momento de verdadero desastre nacional. El ejército babilonio estaba listo para invadir el país como un torrente de agua cayendo de un dique roto. El profeta estaba de acuerdo con el Señor en que Judá se merecía el juicio. Pero, ¿cómo Dios podía usar a un pueblo mucho más malo para disciplinarlos?

> *«Muy limpio eres de ojos para ver el mal, ni puedes ver el agravio; ¿por qué ves a los menospreciadores y callas cuando destruye el impío al más justo que él?»* (Habacuc 1:13).

David suplicó por el carácter de Dios una y otra vez. Disgustado con su propio pecado e infidelidad, clamó:

> *«Acuérdate, oh Jehová, de tus piedades y de tus misericordias, que son perpetuas.*
> *De los pecados de mi juventud, y de mis rebeliones, no te acuerdes»* (Salmo 25:6-7).

¿No suena un poco descarado el tener que recordarle a Dios sus atributos y sus promesas? ¿No suena presuntuoso? Sí, si eres tímido. Pero recuerda: el Señor quiere que tú crezcas en oración, inclusive que te conviertas en un guerrero de oración.

¿Incluirías a Dios en tus oraciones? Si estás lastimado o confundido, busca uno de los grandes atributos de Dios y, como dice Spurgeon, úsalo como «un ariete gigante con el cual abramos las puertas del cielo».

Reclama su amor, implora su santidad, recuérdale su bondad, su prolongado sufrimiento. Dile de su poder y ora por su inmutabilidad. Si tú sientes remordimiento y estás arrepentido por tu pecado, háblale de su tierna misericordia. Si te encuentras confundido, léele su Palabra acerca de la sabiduría en Proverbios 4. Si estás orando por tu hijo, presenta tu petición delante del Señor, enumerando las historias en las que El bendijo a los niños y se deleitó en ellos.

Un último pensamiento. Cuanto más te concentres en los atributos de Dios en la oración, más llegarán a ser parte de tu vida. Concéntrate en las misericordias de Dios y llegarás a ser misericordioso. Suplica por su sabiduría, y la sabiduría será tuya. Concéntrate en su santidad y crecerás en ella. «Por tanto, nosotros todos, mirando a cara descubierta como en un espejo la gloria del Señor, somos transformados de gloria en gloria en la misma imagen, como por el Espíritu del Señor» (2ª Corintios 3:18).

Aférrate a un atributo de Dios con todo tu corazón y pídele que trabaje contigo en El. Humildemente compromete a Dios con sus promesas. Dios se complace cuando buscas su voluntad, su carácter, su gloria y su corazón en tus oraciones.

TU LUGAR APARTADO...

¡Detengámonos y gocémonos en los atributos de Dios! Ora conmigo diciendo:

> *«Mi Dios, tu poder es inmenso, tu amor infinito, tu gracia abundante, tu nombre glorioso. Pido grandes cosas de un Dios tan grande como tú. Eres conocido, pero más allá del conocimiento, te revelas. Eres el admirable Instructor que le das a nuestras mentes las grandezas de tus perfecciones. Qué no olvidemos nunca tu paciencia, sabiduría, poder, fidelidad, cuidado y que nunca dejemos de responder a tus invitaciones»* (Valley of Vision, colección de oraciones y devocionales puritanos).

Capítulo diez

Un lugar de promesa

Las promesas sagradas,
aunque en sí mismas son seguras y preciosas,
no están disponibles para reconfortar
el alma hasta que nos aferramos a ellas por fe,
suplicamos en oración, las esperamos
y las recibimos con gratitud.
Charles Haddon Spurgeon

*M*i padre tendría que haber crecido como un vaquero en las praderas. En efecto, casi lo era. Nació en el 1900 y llevó un vida dura comerciando con los indios del noroeste y escalando los altos picos de las montañas Rocallosas. Me gustaba seguirlo montada en caballos rápidos, ascendiendo altas montañas y acampando bajo la luna y las estrellas. Papá era mi héroe.

LUGAR:
Asilo Manor Pines
en Fort Lauderdale,
Florida.
MOMENTO:
Mayo de 1990.

Esa es la razón por la cual fue tan difícil celebrar su cumpleaños número noventa.

Fue un día en que tuvimos que festejarlo al lado de su cama, luego de que varios ataques apopléticos lo habían dejado muy debilitado. Se había vendido la casa de la familia en Maryland. Mamá se había mudado con Papá a Florida, donde vivía en un asilo pequeño. Mamá iba desde la casa de mis tíos al asilo caminando cada mañana para suplir las necesidades de su marido y volvía a la noche, cuando él se acostaba a dormir.

En el lapso de unas pocas semanas, las cosas cambiaron radicalmente.

Mi padre comenzó a decaer rápidamente. Sabíamos a ciencia cierta que en pocos días moriría. Le poníamos música inspiracional en un grabador al lado de su cama, cantábamos himnos, orábamos y, más que nada, le leíamos la Palabra en voz alta con las promesas de Dios. Cuando se acercaba el final, nos consolamos profundamente con la promesa de 1ª Corintios 15, sabiendo que la muerte estaba derrotada y los nuevos cuerpos glorificados jamás morirían.

> *«Así también es la resurrección de los muertos. Se siembra en corrupción, resucitará en incorrupción. Se siembra en deshonra, resucitará en gloria; se siembra en debilidad, resucitará en poder. Se siembra cuerpo animal, resucitará cuerpo espiritual...»* (1ª Corintios 15:42-44).

La muerte es sorbida en victoria.

> *«Porque es necesario que esto corruptible se vista de incorrupción, y esto mortal se vista de inmortalidad. Y cuando esto corruptible se haya vestido de incorrupción, y esto mortal se haya vestido de inmortalidad, entonces se cumplirá la palabra que está escrita: sorbida es la muerte en victoria.*
> *»¿Dónde está, oh muerte, tu aguijón? ¿Dónde, oh sepulcro, tu victoria?*
> *»Mas gracias sean dadas a Dios, que nos da la victoria por medio de nuestro Señor Jesucristo»* (1ª Corintios 15:53-55,57).

Cuando te sientas al lado del lecho de un ser querido, escuchándolo dar su último aliento en este mundo, esas palabras se convierten en algo más que en una frase bien dicha. Se convierten en la tierra firme donde estás parado, consolándote al pararte firme en ese lugar de promesa.

Al lado del lecho de mi padre recordamos otros momentos y lugares en los cuales, como familia, encontramos consuelo en las promesas de Dios.

*C*omo siempre estaba al aire libre, Papá fomentó en todos nosotros el amor por los espacios abiertos. Un par de años después de mi accidente, fuimos de campamento por un mes a Canadá. Nos metimos en Alberta, una hermosa zona de las Rocallosas. Allí atravesamos picos nevados, cruzamos hermosos ríos de agua color turquesa y grandes valles. Yo iba con la ventanilla abierta para aspirar la fragancia a pino que había en el aire.

LUGAR:
Montañas rocallosas, en Canadá.
MOMENTO:
Julio de 1971.

Nos quedamos en las montañas Whisler, cerca de Jasper, en Alberta. A mi familia le gusta las actividades al aire libre. Nos gusta montar a caballo, jugar tenis y hacer caminatas…, por lo tanto no me sorprendió cuando Mamá, Papá y mis hermanas quisieron escalar el sendero de los despeñaderos que rodeaban el campamento.

—Me quedaré acá —dije. No quería que se sintieran culpables por tener que dejarme. Estaba tan emocionada como si yo misma estuviese yendo con ellos. Me quedaría en la casa rodante leyendo un libro hasta que regresaran.

Los vi como escalaban el sendero. Estaba feliz por ellos, pero... tenía emociones encontradas. Me resultaba difícil estar allí sentada, y enseguida sentí que se asomaban las lágrimas en mis ojos. Estoy segura que pude haber usado ese tiempo para tener una fiesta de conmiseración conmigo misma, pero en cambio decidí poner el asunto en oración. Puse delante de Dios una promesa de la cual estaba segura. Repetí en voz alta la promesa de Filipenses 4:6,7: «Por nada estéis afanosos, sino sean conocidas vuestras peticiones delante de Dios… y la paz de que sobrepasa todo entendimiento, guardará vuestros corazones y vuestros pensamientos en Cristo Jesús».

Y comencé a orar.

«Señor, sé que es tu voluntad que tu pueblo disfrute tu creación. Esa es la razón por la cual nos has dado toda esta belleza, las montañas, los árboles, las fuentes de agua. Señor, te agradezco por que toda esa belleza refresca mi corazón. Pero, Dios, yo sé que Tú entiendes que soy humana, y sabes lo que estoy sintiendo en este momento.

»Por lo tanto, como me dijiste que hiciera en Filipenses 4, quiero presentarte mi petición: por favor, acércame tu creación. No puedo ir a ella, eso es obvio, pero te pido que me pongas en contacto con tu creación de una manera especial. Creo en tu Palabra al prometerme que "me darás la paz que sobrepasa todo entendimiento".»

Hice esa oración sin estar segura de cómo el Señor la contestaría. Pensé que, tal vez, El haría volar una mariposa delante mío o una oruga me caminaría por la rodilla. Cualquier cosa que me recordara su presencia y su cercanía en la creación estaría bien.

Pasaron los minutos; en realidad, pasó una hora y volví a interesarme en mi libro. Al rato, la oración desapareció de mi mente. Mi familia regresó de la caminata y mientras se sacaban las mochilas de la espalda me contaron todo acerca del paseo.

Esa noche, después de cenar, Papá, mi hermana Kathy y yo nos sentamos alrededor del fuego a entonar viejos himnos. «Confía y obedece, porque no hay otra forma…», entonamos y pasamos un lindo momento. Miré a mi hermana mientras cantábamos, quien estaba sentada frente a mí y vi algo que parecía ser algo así como un perro grande negro.

—Kathy, será mejor que dejes de cantar. Hay algo atrás tuyo.

Ella no le dio importancia y continuó con la segunda estrofa.

—¡Espera! Eso no es un perro, *¡es un oso negro!* —dije roncamente. —¡Deja de cantar! ¡Hay un oso detrás tuyo!

Ella siguió cantando. «Confía y obedece...»

—¡Kathy!, ¡detente! Hay UN OSO respirándote en la nuca.

—No hay ningún oso detrás mío —se rió, pero dejó de cantar y se dio vuelta. Kathy y el oso se miraron a los ojos. Ella quedó inmóvil, paralizada de miedo.

Nos quedamos muy quietos y vimos cómo el oso olfateaba el tronco donde Kathy estaba sentada, luego se dirigía hacia mí y olfateaba mi silla de ruedas. ¡Olfateó los pedales! Estaba olfateando mis pantalones. Yo estaba aterrorizada. Mi hermana Jay, que estaba lavando los platos y había escuchado algo, abrió la puerta de la casa rodante y preguntó:

—¿Un oso? ¿Dónde?

Eso asustó al oso. Se dio vuelta y embistió la cocina de campaña, las ollas y la mesa, desapareciendo en la noche. Mis hermanas corrieron a buscar sus máquinas de fotos y salieron detrás de él.

Aquella noche, acostada en mi cama pensé: *¡Esa sí que es una respuesta de primera clase a la oración!* No había sido una mariposa o una oruga. Había sido como si Dios, con su maravilloso sentido del humor, hubiese dicho: «¿Querías estar cerca de mi creación? Te haré estar tan cerca de mi creación que jamás querrás estarlo de nuevo».

El Señor tenía un motivo para contestar mi oración de esa manera. Primero, estoy segura que quería darme la paz que promete en Filipenses 4:6, el versículo que le cité. Pero, en segundo lugar, creo que Dios quería que aprendiera una lección. Fue como si me dijera: «Ahora mira, Joni; si me ocupo en contestar esa petición tuya de acercar mi creación a ti, ¿no crees que estoy profundamente preocupado en los detalles de tu vida que realmente son importantes, como la soledad, las heridas internas y los sentimientos de inferioridad?»

Allí acostada me embargó una paz indescriptible. Era la paz que Dios había prometido.

CREE EN SUS PROMESAS

También tú puedes suplicar las promesas de Dios con certeza. Lleva a Dios a su Palabra. Cree en sus promesas. Espera una gran respuesta a la oración. Puede ser que Dios no te traiga un gran oso a la puerta de tu casa, pero la próxima vez que ie presentes a Dios alguna de sus promesas, espera que El la cumpla.

Dios está esperando hombres y mujeres que lo prueben con su Palabra. En sus promesas no existen pretextos para eludirlas y El se deleita en encontrar gente que confirmarán las cosas buenas acerca de su nombre y su Palabra a través del sufrimiento. Las promesas de Dios son como la «palanca» que abre el depósito de su gracia.

En cierto sentido, Dios me ha dado a mí la oportunidad de hacer exactamente eso desde mi silla de ruedas. Han pasado veintiséis años desde aquel accidente, y he tenido unos pocos años de práctica probando la Palabra de Dios, su bondad y su gracia. Si tuviera que resumir, diría como el salmista: «Sumamente pura es tu palabra, y la ama tu siervo».

¡Qué cambio de actitud se produjo en mí! Hubo una época en que la palabra de Dios era onerosa. Casi no podía dar gracias en todas las cosas. Era fatigoso pensar que su gracia era suficiente... cuando, verdaderamente, eso significaba experimentar su gracia postrada en una silla de ruedas. Era difícil visualizar cómo todas las cosas ayudarían para bien cuando no podía ver nada bueno en un par de manos inmóviles y en unas piernas que no podían caminar.

Actualmente el Salmo 119:140 está sobre mi escritorio. Amo las promesas de Dios porque he visto cumplirse la palabra de Dios y tengo confianza en que veré más en el futuro. Fue a raíz de un cuello roto que Dios me probó con Romanos 8:28. Y su propósito es... hacerme como Jesús. ¡Y eso es bueno!

Piensa en ello. ¿Eres una de esas personas en las cuales Dios se deleita en probar sus promesas? ¿Has visto tu sufrimiento, ya sea grande o pequeño, como el laboratorio de las promesas bíblicas? Si es así, espero que tu corazón se una al mío diciendo: «Sumamente pura es tu palabra, y la ama tu siervo».

TEN LA CERTEZA..., LA SEGURIDAD

Podemos rogar a Dios por sus promesas con toda seguridad. No hay necesidad de dudar o tener un segundo pensamiento al orar. No hay porqué rascarse la cabeza sin saber de qué estás hablando. Puedes tener certeza en las promesas de Dios. Es esto lo que te dará seguridad en la oración. Por ejemplo, mira la oración de Salomón al dedicar el templo en Israel:

«Jehová, Dios de Israel, no hay Dios como tú, ni arriba en los cielos ni abajo en la tierra, que guardas el pacto y la misericordia a tus siervos, los que andan delante de ti con todo su corazón. Ahora, pues, Jehová Dios de Israel, cumple a tu siervo David mi padre lo que le prometiste, diciendo: no te faltará varón delante de mí que se siente en el trono de Israel, con tal que tus hijos guarden mi camino y anden delante de mí, como tú has andado delante de mí. Ahora, pues, oh Jehová Dios de Israel, cúmplase la palabra que dijiste a tu siervo David mi padre» (1° Reyes 8:23,25-26).

¡Eso es orar con certeza! Salomón, obviamente, llevaba un diario espiritual con las promesas de Dios, aquellas que le había dado a David, su padre; y llevó a Dios a cumplir su palabra de honor. ¿Y no crees que Dios estaría complacido de poder cumplir esa gran promesa ante Salomón y su pueblo? La Biblia está llena de votos y la palabra empeñada por Dios; su Palabra de Honor. ¡Y muchas de esas promesas Dios te las da a ti!

Por supuesto que El quiere que estés seguro cuando ores presentándole sus promesas.

Tu lugar apartado...

Las personas descansan en determinadas promesas en diferentes momentos y lugares en sus vidas. Selecciona una de estas oraciones que te ayudará en tu necesidad actual.

- *Una promesa de paz:* «Tú guardarás en completa paz a aquel cuyo pensamiento en ti persevera; porque en ti ha confiado». Isaías 26:3.
- *Una promesa para cuando estás deprimido:* «Humillaos, pues, bajo la poderosa mano de Dios, para que él os exalte cuando fuere tiempo; echando toda vuestra ansiedad sobre él, porque él tiene cuidado de vosotros». 1ª Pedro 5:6-7.
- *Una promesa para cuando eres tentado:* «Pues en cuanto él mismo padeció siendo tentado, es poderoso para socorrer a los que son tentados». Hebreos 2:18.
- *Una promesa para cuando estás impaciente:* «Pacientemente esperé a Jehová, y se inclinó a mí, y oyó mi clamor». Salmo 40:1.
- *Una promesa para cuando sufres:* «Aguarda a Jehová; esfuérzate, y aliéntese tu corazón; sí, espera a Jehová». Salmo 27:14.

Capítulo once

Un lugar sin palabras

Cuando ores, es preferible que tu corazón
se quede sin palabras y no tus palabras sin corazón.
Juan Bunyan

*L*as montañas costeras caían al océano. La playa era de cristal de roca y arena blanca. Pequeños sicómoros se agrupaban en la playa. El ritmo de las olas acompañaba los latidos del corazón, lentos, constantes. Una placentera experiencia; todo tocaba tus sentidos. Pero las olas sobre todo tocaban tu *alma.*

Nuestras almas son inquietas. Están sedientas de placer. Nos encontramos en un lugar de mudo anhelo, siempre deseando más. Y dónde pongamos nuestra ciudadanía, ya sea en la tierra o en el cielo, eso se verá en las cosas que deseamos apasionadamente. Si deseamos cosas intrascendentes, cosas terrenales, sensuales, nuestras almas reflejarán torpeza.

LUGAR:
Sycamore, ensenada
en el océano Pacífico.
MOMENTO:
Junio de 1993.

Pero si nuestros deseos se elevan para encontrar realización en las cosas nobles, puras, exaltadas y que valgan la pena, entonces –y solo entonces– encontraremos satisfacción, riqueza y placer.

Soy la primera en admitir que esos anhelos aumentaron mi soledad aquí en la tierra. Como ciudadana del Reino, sé que estoy destinada a placeres infinitos en el nivel más profundo. También sé que ahora nada calmará mi alma anhelante; y ese anhelo doloroso me lleva a anticipar las glorias futuras.

¿Me perderé la caída de las hojas en Yosemite o el agradable gusto de un pollo a las brasas? Lo dudo. C.S. Lewis dice:

> *«Nuestras experiencias de vida son apenas un bosquejo sobre el papel. Si nuestras experiencias se desvanecen en la vida, lo harán sólo como bosquejos en el paisaje real; no como la llama encendida que se hace a un lado, sino como la llama encendida que se hace invisible porque alguien sube la persiana, abre los postigos y deja entrar la brillante luz del sol naciente.»*

A veces anhelo tanto el hogar celestial que me siento como si las olas me fueran a arrastrar en su movimiento hacia mi patria celestial. Hace mucho tiempo que aprendí que el crecimiento espiritual siempre incluye un despertar de este profundo anhelo por el cielo, por el placer al máximo. Un despertar como este conduce a un verdadero contentamiento, pidiendo menos de este mundo porque vendrá más después.

Esa es la razón por la cual, como ciudadana del cielo, si tuviera pasaporte, copiaría este poema de William Herbert Carruth en la página interna:

> *«Como las olas en un mar creciente, cuando la luna es nueva y delgada, a nuestro corazón vienen*

ardientes deseos, vienen como pulsaciones, honesta-
mente... vienen del místico océano, cuya orilla no ha
sido pisada.

   Algunos lo llamamos Anhelo, otros lo llaman
Dios.»

Puesto que Dios ha colocado un poderoso anhelo dentro de tu ser, es lógico pensar que El será la consumación de
esa necesidad. El dirige tus anhelos hacia el cielo cuando te
manda poner tu corazón y tu mente en lo alto, donde está
sentado Cristo.

En esos momentos, cuando mis oraciones han encontrado un lugar en las glorias celestiales, me quedo sin palabras. Mi oración es más una comunión silenciosa que una
larga disertación. Las palabras son innecesarias. Las frases
se agolpan. Mis anhelos son mejor suplidos cuando, en oración, simplemente dejo que mi corazón lata al ritmo del corazón del Señor.

CUANDO LAS PALABRAS NO SON SUFICIENTES

No me quedo sin palabras con frecuencia, pero cuando
recibí la carta de un hombre llamado Esteban y leí su increíble historia, me quedé anonadada y silenciosa.

Esteban, un policía de narcóticos, había quedado para-
lítico cuatro años atrás de un disparo en la nuca, cuando
cumplía con su trabajo.

El escribió: «Me está dando mucho trabajo adaptarme
a mi nueva situación y algunas palabras de inspiración podrían ayudarme mucho en estos momentos».

Sabía que tenía que llamar a Esteban por teléfono y,
por lo menos, hacer el esfuerzo de compartir con él esas palabras de estímulo que tanto estaba necesitando. Al hablar
por teléfono, me di cuenta que respiraba con la ayuda de
un respirador. Habló un poco, pero se detuvo mientras el
respirador aspiraba aire. Luego terminó la frase apresura-
damente, parando de nuevo para tomar aire.

He hablado con muchos cuadripléjicos con respiradores, pero ninguno interfería con el habla. No pude dejar de pensar que, *evidentemente, este hombre está teniendo dificultades para adaptarse. Le cuesta mucho.*

Me quedé sin palabras y se lo dije a Esteban. Convinimos en que a veces las palabras no son necesarias. El comprendió que, en cierta medida, yo sabía por lo que él estaba pasando. Antes de colgar oré con él. El estaba esperando que le hicieran un implante de nervio en el cuello, como para poder respirar por sí mismo. Pero, aun después de la operación seguiría teniendo problemas. Como decía en su carta: «El sólo existir ya es toda una lucha».

Me impactó que Esteban entendiera mi falta de palabras. Para ser honestos, muchas veces encontrar aquellas palabras de estímulo adecuadas es imposible. Cuando releí su carta pensé en las palabras de Romanos 8:26: «*Y de igual manera el Espíritu nos ayuda en nuestra debilidad; pues qué hemos de pedir como conviene, no lo sabemos, pero el Espíritu mismo intercede por nosotros con gemidos indecibles*».

DIOS ENTIENDE NUESTROS GEMIDOS

Inmediatamente después de la reunión en la iglesia, se me acercó una joven en silla de ruedas; sufría de parálisis cerebral.

La parálisis cerebral casi siempre se caracteriza por debilidad o pérdida de la coordinación debido al daño cerebral. Muchas veces se producen movimientos involuntarios y el lenguaje es defectuoso. A esta joven era especialmente difícil entenderla al hablar. Gemía ciertas oraciones repetidamente. A pesar de haberle pedido que repitiera las palabras una por una, no pude comprenderla. La expresión de su rostro tampoco me dio ninguna pista. No pude saber si estaba en un terrible problema o si simplemente estaba tratando de contarme alguna experiencia.

Finalmente, luego de varios intentos, pude armar su

oración. ¡Me estaba pidiendo que consiguiera a alguien que la ayudara para ir al baño!

Era una simple petición, ¡pero me sentí tan inútil por mi incapacidad y por necesitar tanto tiempo para comprender qué quería…! Cuando supe lo que deseaba, rápidamente se lo conseguí.

¿Te imaginas las penurias que pasarías por no ser capaz de expresar lo que necesitas? Sería triste no encontrar a nadie por ahí que entendiera tus deseos.

Hay momentos en que queremos hablar con Dios… pero por alguna razón no podemos. La frustración, el dolor y el sentimiento de pérdida es demasiado profundo. El temor nos obnubila. La confusión nos deja sin palabras. La depresión se apodera de nuestras emociones.

Me pone muy contenta saber que Dios puede leer mi corazón y comprender lo que pasa cuando estoy imposibilitada por mi propia incapacidad de hablar. Como dice Hebreos 4:13:

> «Y no hay cosa creada que no sea manifiesta en su presencia; antes bien, todas las cosas están desnudas y abiertas a los ojos de aquel a quien tenemos que dar cuenta.»

Las palabras no siempre son necesarias. Cuando nos encontramos en circunstancias tan traumáticas que ni siquiera podemos encontrar palabras… cuando sólo podemos mirar hacia el cielo gimiendo en espíritu…, ¿no es un alivio recordar que Dios sabe lo que está pasando? Dios conoce el más tenue susurro de nuestro corazón.

Aunque sea tan débil que ni tú mismo te percates de ello, Él lo ha escuchado. Y no sólo que lo ha oído, sino que lo *entiende*.

Puede ser que tú y yo seamos discapacitados cuando llega el momento de comprender nuestros gemidos y suspiros respectivamente. Y otros, inclusive aquellos que están cerca nuestro, puede ser que *nunca* sean capaces de oír o interpretar nuestros sufrimientos más profundos y nuestros anhelos.

Pero Aquél que escudriña los corazones sabe y entiende. El Espíritu nunca está discapacitado debido a nuestra falta de aptitud para hablar. Nuestros gemidos dirigidos al cielo cobran voz ante Dios.

DIOS TE AYUDARA A ORAR

Nadie está tan cerca de los deseos de nuestro corazón como Dios. Cuando estamos demasiado débiles para orar, El encuentra las palabras que a nosotros nos faltan.

Si no lo has notado, Charles Spurgeon es uno de mis escritores preferidos. Me gusta la manera en que describe la manera de actuar de Dios cuando oramos:

> «*Es un toque de maravillosa condescendencia que Dios no sólo conteste nuestras oraciones cuando las formulamos sino que forma las oraciones para nosotros. ¿No sería agradable que el rey le dijera al peticionario: "Preséntame tu caso y yo te concederé tu deseo"? Pero si le dice: "Yo seré tu secretario. Escribiré la petición por ti. La escribiré con palabras adecuadas para que sea aceptable." Esto es bondad en su más alta expresión. Eso es exactamente lo que hace el Espíritu Santo por nosotros, pobres, ignorantes y débiles seres humanos. Jesús, en su agonía, fue fortalecido por un ángel. A ti te ayudará el mismo Dios. Aarón y Hur sostuvieron en alto los brazos de Moisés, pero el mismo Espíritu Santo sostiene tus debilidades.*»

EL ESCUCHA COMO UN PADRE

No hay nada que conmueva tanto a un padre amante como el llanto de su hijo. ¿Qué padre amante puede resistir el llanto de su bebé? En el Salmo 5:1-2, David comienza su oración diciendo: «Escucha, oh Jehová, mis palabras;

considera mi gemir. Está atento a la voz de mi clamor, Rey mío y Dios mío, porque a ti oraré».

Lleno de problemas y con el corazón cargado de temor, David deseaba que Dios escuchara su clamor.

¿Les resulta conocido a ustedes, padres? Ustedes, más que nadie, entenderán cuán precioso es para Dios el clamor de sus hijos. Si tu bebé está arriba en la cuna y llora, instantáneamente tú sabes lo que anda mal. Por el tipo de llanto tú sabes si tiene hambre, si se despertó, si le duele algo o si está mojado. Un bebé, incapaz de hablar, puede comunicarle a sus padres muchas cosas, simplemente por el sonido del llanto.

Alguien dijo una vez que la oración es el grito de auxilio a los atentos oídos del Padre. Cuando nuestras oraciones se elevan en un grito, Dios sabe exactamente cuál es nuestra necesidad. El sabe si nuestro clamor es un pedido urgente de ayuda o una oración porque estamos desilusionados. Tal vez sea una cálida oración de agradecimiento. Como un padre o una madre con su hijo, Dios presta atención a la voz de nuestro clamor. El lee en los corazones. David dijo: «Oh Señor, considera mi clamor.»

Los corazones claman. Y nuestro Padre se deleita en escuchar ese clamor que le indica que nuestro corazón necesita ayuda.

Cuando no sabemos como orar por otros

Nuestro trabajo en el *Ministerio JAF* es una extensión para aquellos que tienen discapacidades tales como parálisis cerebral, retraso mental, problemas de columna vertebral, atrofias musculares o esclerosis múltiple. Cuando oro por estas personas, le recuerdo a Dios que Cristo sintió compasión–no lástima– cuando se encontró con personas ciegas. Cuando se encontró con los sordos o los paralíticos sintió amor.

Estoy segura que muchas de esas personas eran incapaces de expresar con palabras todo lo que sentían cuando conocieron al Señor. Pero El les ministró a sus silenciosos pedidos. El los tocó con su amor aun cuando no dijeran ni una sola palabra.

Y así fue, exactamente, como yo oré por Esteban, mi amigo en silla de ruedas conectado al respirador. Pude no haber sabido descifrar el clamor de su corazón herido, pero sabía que Dios entendía, y que El podría satisfacer esas necesidades.

Cuando oro por la gente involucrada en nuestro ministerio, le recuerdo al Señor que la gente necesita su amor de la misma manera en que lo necesitaron aquellos que conocieron a Jesús cuando El estuvo en la tierra. Le recuerdo al Padre que Jesús ayudó a las personas que estaban dolidas y solas. Le recuerdo al Padre la compasión de Jesús por aquellos que están perdidos y confundidos. Aunque yo desconozco las cargas específicas que mis compañeros cristianos están soportando, Dios sí lo sabe.

Tu lugar apartado...

Trata de recordar el momento más significativo cuando algún amigo te haya consolado en tu sufrimiento. Puede ser que no hayas sido capaz de expresar tu dolor, pero ¿recuerdas como tu amigo te sostuvo? ¿Cómo te miró a los ojos? ¿Cómo lloró a tu lado? ¿Recuerdas alguna palabra adecuada dicha en ese momento? Ese recuerdo, ¿no reconforta tu corazón?

Ahora bien, transfiere esa experiencia a tu relación con tu Padre celestial. Imagina por un instante su compasión cuando te oye gemir débilmente. Piensa en lo rápido que responde a tu clamor. Mientras el recuerdo aun está en tu mente, háblale –ahora mismo– con el corazón.

Capítulo doce

Un lugar para el nombre de Jesús

*Como otras personas, yo he orado por sanidades,
milagros, dirección y ayuda. Francamente, han habido
veces en que estaba seguroque Dios contestaría
porque tenía una fe muy fuerte. Muchas de esas veces
no pasó nada, o si pasaba era completamente distinto
de lo que yo esperaba.*

*El hecho es que mi vida de oración no puede estar
sujeta a los resultados que espero o pido. He tenido
muchas oportunidades hasta ahora para ver
que las cosas que quiero que Dios haga en respuesta
a mis oraciones pueden no ser buenas para mí.
He comenzado a notar que la adoración
y la intercesión son los medios para alinear mi vida
con los propósitos de Dios, en vez de pedirle
a El que se acomode a los míos.*
Gordon Macdonald

¿Cuántos adjetivos se necesitan para describir Manila?
Caliente, húmeda, ruidosa, sucia y populosa. Sí; todo
eso y más.

Un *jeep* convertido en ómnibus nos llevó a los saltos por las rutas enlodadas a medio asfaltar, hasta una institución para huérfanos discapacitados en las afueras de la ciudad de Manila.

La casa sin escalones –así llamada por su fácil acceso debido a las rampas– está al final de una calle lateral a la carretera, pasando una gasolinera abandonada, donde crecen plantas de uvas y bananos, unas cuantas chozas y una innumerable cantidad de perros callejeros.

LUGAR:
La casa sin escalones, Manila, Filipinas.
MOMENTO:
Verano de 1989.

La casa administrativa –católica– es como un sereno oasis en medio de la pobreza y la desesperación. El césped prolijamente cortado, las flores y los edificios bien cuidados.

Al entrar al pequeño complejo salieron a nuestro encuentro los niños para darnos la bienvenida. Unos con muletas, otros aferrados a sus andadores o empujando sus sillas de ruedas. Un pequeñito, llamado Nehru Paunil, se congració con nosotros. Se parecía a las fotografías de mi esposo Ken cuando era chico.

A lo largo de los años, mucha gente de varias partes del mundo había visitado el lugar y orado por la sanidad de aquellos pequeños en el nombre de Jesús. Las monjas nos dijeron que los visitantes habían traído agua bendita o pañuelos bendecidos por el Papa, y que nada había sucedido, o al menos eso creían. Muchos de estos compasivos extranjeros habían vuelto a casa frustrados por no haber podido hacer nada por esos preciosos chicos que les daban lástima.

Es probable que los chicos *hubiesen recibido* sanidad, pero no la clase de sanidad que ellos tenían en mente. Nunca habrás visto un grupo de niños tan feliz y sonriente como aquel. Estaban pulcramente vestidos y su casa estaba ordenada y limpia. El milagro, obviamente, era su actitud hacia la vida y sus discapacidades, su gran alegría.

Entonces ¿qué significa orar «en el nombre de Jesús»?

¿Tal vez alguna especie de cheque en blanco que el cielo tiene la obligación de cubrir? ¿Qué significa «orar en el poder de su Nombre»?

He llegado a entender que la oración en su Nombre significa orar por cosas que son consecuentes con su *carácter*, con lo que Él es. De alguna manera, lo hemos distorsionado creyendo que Jesús está obligado a velar por nuestro constante bienestar, nuestra prosperidad económica o nuestra sanidad física.

¿CARTA BLANCA?

—¡En el nombre de Jesús… sé sano!

Yaciendo en cama y totalmente paralizada, puedes imaginarte cómo me intrigaron estas palabras pronunciadas por un predicador en televisión. Más que interesarme en las palabras de sanidad, me interesó saber qué dice la Biblia sobre la sanidad. ¡Yo quería levantarme de mi silla de ruedas!

Cuando estudié la Biblia, me impresionó notar que Jesús nunca pasó por alto a alguien que necesitara sanidad. Abrió los ojos de los ciegos y los oídos de los sordos, y hasta levantó a los paralíticos. También me impactó el notar la gran cantidad de escrituras que parecían indicar que podía pedir todo lo que estuviera de acuerdo con la voluntad de Dios y Jesús lo haría. La petición de sanidad parecía estar de acuerdo con su voluntad, y uno de mis pasajes preferidos era Juan 16:23-24: «De cierto os digo, que todo cuanto pidiereis al Padre en mi nombre, os lo dará. Hasta ahora nada habéis pedido en mi nombre; pedid y recibiréis, para que vuestro gozo sea cumplido». Comencé a orar por sanidad en el nombre de Jesús. Tomé ejemplos pasados de la gran provisión de Dios para otras personas. «Jesucristo es el mismo ayer, y hoy, y por los siglos» (Hebreos 13:8). Le recordé a Dios: «y Jesús los sanó. Eso quiere decir que ahora me puede sanar a mí. Señor, levántame para que tú puedas recibir la gloria».

Para demostrar que mi fe era genuina, llamé a mis amigos por teléfono y les dije:

—Muchachos, la próxima vez que me vean será de pie.

Inclusive asistí a algunos servicios de sanidad. Estaba convencida de que mi sanidad estaba en los planes de Dios y que El me levantaría para su gloria. La oración en el nombre de Jesús le ponía el sello a mi destino.

Pero no pasó nada. Pasaron días, semanas... y yo miraba mis brazos y mis piernas como si estuvieran separadas de mí y pensaba: «¡Cuerpo, estás sano!» Pero, por alguna razón, mis manos y mis pies no recibían el mensaje. Mi mente decía «¡muévanse!», pero por abajo no pasaba nada.

LA RESPUESTA DE DIOS A LA ORACION

No podía entenderlo. ¿Acaso la palabra de Dios no prometía que podía pedir todo en el nombre de Jesús y lo tendría para que mi gozo fuera completo?

Pensé que quizás no estaba buscando en la Escritura concienzudamente. Entonces, Dios me llevó nuevamente a Hebreos, el mismo libro donde había encontrado ese maravilloso versículo que dice que El es el mismo ayer, hoy y siempre.

En el capítulo once encontré la lista de los grandes héroes de la fe; diecisiete hombres y mujeres quienes por honrar a Dios y confiar en El experimentaron milagros. Personas como Noé, Abraham, Isaac, Jacob, José y tantos más. Esta gente conquistó reinos, obtuvo lo prometido, tapó la boca de los leones, escapó de la espada y recibió a sus muertos resucitados. Luego me di cuenta de un cambio interesante comenzando con dos palabras en el versículo 35: «Mas otros...» . Otros fueron atormentados, recibieron azotes. Otros fueron puestos en la cárcel. Otros fueron apedreados. Estos santos honraban tanto a Dios y tenían tanta fe como los enumerados anteriormente... pero no recibieron milagros.

Me di cuenta que, probablemente, yo me encontrara entre el grupo que tiene fe pero tiene que pasar por tribulaciones y golpes en la vida. Me reconfortó leer Hebreos 11:39-40: «Y todos éstos, aunque alcanzaron buen testimonio mediante la fe, no recibieron lo prometido; proveyendo Dios alguna cosa mejor para nosotros, para que no fuesen ellos perfeccionados aparte de nosotros».

Dios tiene un plan mejor para mí. Comencé a ver que mi sanidad no era física sino espiritual. A través de esa búsqueda aprendí más acerca de Dios y que, de todas maneras, es en realidad su respuesta a la oración. Aprendí que Jesús es el mismo ayer, hoy y siempre; siempre el mismo, siempre santo, siempre lleno de amor, siempre sensible, siempre sufrido. El no cambió y no cambiará nunca.

ORANDO EN EL NOMBRE DE JESUS

¿Y la promesa de Juan 16:24? «Hasta ahora», le dijo Jesús a sus seguidores, «nada habéis pedido en mi nombre. Pedid y recibiréisn para que vuestro gozo sea cumplido».

¿Qué quiere decir eso si no es algo así como una garantía?

Por supuesto, asumo que tiene que ser la voluntad de Dios ponerme en pie, pero, la voluntad de Dios, obviamente, es mayor y mejor. Me llevó años entenderlo, pero el gozo profundo y duradero que tengo ha sobrepasado ampliamente cualquier alegría momentánea que hubiera experimentado de haber sido sanada. Eso se debe al haber comprendido lo que significa orar en el nombre de Jesús.

Orar en el nombre de Cristo quiere decir orar concorde a su vida, de acuerdo con lo que El es y con la clase de cosas que El cree que son importantes. En la vida de Jesús encontramos buenos ejemplos de la clase de pedidos que debemos incluir en nuestras oraciones. Damos por sentado que es la voluntad de Dios para nosotros el tener buen nombre y reputación. Pero mira a Jesús, se burlaron de El y lo calumniaron; fue menospreciado y rechazado. En lo que a su reputación se refiere, fue ridiculizado públicamente en el madero.

Creemos que es la voluntad de Dios que tengamos una casa nueva más grande, pero Jesús, en la cima de su ministerio, no tuvo un hogar verdadero, ni siquiera tuvo un lugar dónde recostar su cabeza. El pernoctaba en las casas de sus amigos, en el piso de las barcas, e inclusive a campo abierto bajo la luna, en los alrededores de las aldeas.

Estamos convencidos que palabras tales como *sufrimiento* y *desilusión* no deberían encontrarse en el léxico cristiano, pero Jesús fue un varón de dolores, experimentado en quebrantos.

Dándole la espalda a las comodidades, Jesús optó por la escuela del sufrimiento (Hebreos 5:8), la que finalmente lo recompensaría con las cosas que El realmente valoraba: paz, paciencia, dominio propio, tolerancia, bondad y sensibilidad.

¿Acaso nosotros, sus siervos, podemos esperar tener una vida más fácil que la de nuestro Maestro? No lo creo. Cuando oramos en el nombre de Jesús, debemos esperar recibir las cosas que concuerdan con ese nombre, tales como paciencia y sufrimiento. Podemos orar por prosperidad económica, una carrera, éxito con el sexo opuesto, o sanidad física pero Dios puede elegir darnos algo más precioso, algo más cercano a lo que su nombre y su carácter significan.

Su perspectiva. Su presencia. Su tolerancia.

Su profunda y constante paz en medio de las calamidades, dolores, soledad y frustración.

Eso ha sido lo que gané orando por sanidad en el nombre de Jesús. No recibí la restauración en mi físico, pero siento más gozo y paz que la que jamás me hayan dado un par de piernas fuertes y unas manos activas.

ALGO MAS ACERCA
DE ORAR EN SU NOMBRE

Demos otro vistazo a Juan 16:23: «...todo cuanto pidiereis al Padre en mi nombre, os lo dará». Cuando Jesús les dijo eso a sus discípulos, les estaba dando una nueva perspectiva para suplir sus necesidades. El les estaba enseñando cómo buscar. Cuando leemos: «Mi Padre os lo dará», ¿qué más podemos desear que tener lo que Dios desea darnos? Recuerda: «No quitará el bien a los que andan en integridad» (Salmo 84:11). Y no olvides Santiago 1:17: «Toda buena dádiva y todo don perfecto desciende de lo alto, del Padre de las luces, en el cual no hay mudanza ni sombra de variación».

Cuando pedimos «en su Nombre» estamos pidiendo todo lo que Jesús compró y nos prometió por medio de su muerte y resurrección. ¿Y a qué nos da acceso su muerte? «Nuestro Señor Jesucristo, que nos bendijo con toda bendición espiritual en los lugares celestiales en Cristo» (Efesios 1:3) Cuando oramos en su nombre, podemos estar seguros de su respuesta: Dios nos bendecirá con toda bendición espiritual. ¡Esa sí que es una gran respuesta a la oración!

Mira en Juan 16:24: «Hasta ahora nada habéis pedido en mi nombre». Hasta ese momento, sus discípulos no habían pedido nada en comparación con lo que estaban a punto de recibir. El Señor, por medio de su muerte y resurrección, estaba listo para derramar sobre ellos su Espíritu y darles más dones de los que pudieran imaginarse. Quizás los discípulos hubieran orado anteriormente, pero nunca lo habrían hecho en el nombre de Cristo, y eso era lo que su nombre les ofrecía.

«Pidan y recibirán, para que su gozo sea cumplido». Finalmente, cuando piensas en ello, ¿no es gozo lo que deseas, cualquiera que sea tu petición? Ya sea que ores por ti o por un amigo, ¿no estás buscando gozo? Bueno, el gozo está prometido. El gozo es una de esas bendiciones espirituales que Dios está listo para derramar sobre ti. Se nos dice que debemos apuntar alto al orar para recibir gozo. Nuestra es la plenitud de gozo si oramos sin cesar. «Estad siempre gozosos; orad sin cesar».

Esa es una respuesta a la oración que siempre será contestada con un ¡sí! Cualquiera que sean tus circunstancias, Dios quiere darte gozo. Es la respuesta más elevada y grande a la oración hecha en su nombre.

·TU LUGAR APARTADO...

Cuando el Señor invitó a sus seguidores a dirigirse al Padre en su nombre, El estaba hablando de una relación nueva. Previamente, los hombres y mujeres se acercaban a Dios con temor y temblor por medio de los sacerdotes. Pero a partir de la resurrección de Jesús, todos los creyentes podemos hablar con Dios, directamente, cada vez que queramos. Para que nos quede claro lo que significa ir a Dios «en el nombre de Jesús», permíteme personalizar en oración lo que dice Juan 15. Repítelo conmigo:

> *«Jesús, tú eres la vid y nuestro Padre es el labrador... Ya estoy limpio por la Palabra que me has dado. Yo permanezco en ti y Tú en mí, porque yo, como la rama, no puedo dar fruto por mí mismo; debo permanecer en ti, la vid... Separado de ti, no puedo hacer nada. Si tus palabras permanecen en mi y yo permanezco en ti, puedo pedirte y Tú me darás para que seas glorificado. Y esta es tu gloria: que lleve mucho fruto mostrando que soy tu discípulo. En tu nombre. Amén.»*

¡Qué hermosa manera de orar... usar la Escritura y personalizarla!

Capítulo trece

Un lugar de alabanza

¡Alabemos! No demos gracias, solamente, sino alabemos.
Que la alabanza sea un ingrediente en nuestras oraciones.
Le damos gracias a Dios por lo que El es para nosotros,
por los beneficios que nos confiere y las bendiciones
con que nos visita. Pero lo alabamos por lo que El es
en sí mismo, por su gloriosa excelencia y perfección,
independientemente de lo que signifiquen
para el bienestar de sus criaturas.
Edward M. Goulburn

*E*cuador es un país que está en tinieblas espirituales. Quito, la capital, con tantas plagas urbanas y deterioro, se encuentra, si es posible, en mayor oscuridad todavía.

De todos los rincones del mundo que he visitado, este es el más opresivo. Una amenazante neblina pesada pende de esta remota ciudad montañosa. Una corriente oculta de catolicismo distorsionado, animismo, espiritismo, hechicería y creencias mágicas provenientes de los Andes se mezclan en las calles sombrías y los barrios pobres.

El aire huele a café quemado, vino barato, marihuana

y cigarros de mala calidad. En las esquinas los niños indígenas juegan en las zanjas. Sus madres cocinan tortillas o venden mantas hechas a mano. Las mujeres indígenas parecen más viejas de lo que son. Fatigadas, abusadas, vencidas, golpeadas y con la mirada en blanco. Los niños son enseñados en todo, desde mendigar a hurtar billeteras.

LUGAR:
Quito, Ecuador.
MOMENTO:
Noviembre de 1991.

En Quito estábamos a catorce mil pies de altura sobre el nivel del mar; comparable con la cima del Shasta en California. Y, aun a esa altura podíamos ver montañas más altas elevándose hacia el cielo. Así son los Andes de altos... y de solitarios.

Una de nuestras reuniones fue en un centro de recreación deportiva. Mientras avanzábamos con el *jeep* por las calles oscuras, pude sospechar lo que estaban haciendo los hombres en las esquinas. Sus risas sonaban fuertes y chillonas, sin alegría.

Descendimos del vehículo y avancé con mi silla de ruedas por una vereda llena de botellas de vino vacías e indígenas durmiendo en el suelo sobre cartones. El aire estaba impregnado de olor a basura y orina.

Llevamos adelante nuestra reunión en el centro deportivo, sucio y mal iluminado. Mirando a la multitud, vimos una madre cargando a su hijo, quien padecía de columna bífida, en un manto anudado al cuello. Una misionera cantaba con un grupo de niñas indígenas de una escuela cristiana. Las niñas, sonrientes y tímidas, estaban vestidas con coloridas ropas (*serapes*) acompañando sus canciones con instrumentos musicales autóctonos. Un grupo de muchachos en sillas de ruedas dieron una exhibición de baloncesto. Un pastor ecuatoriano dio un sencillo y emotivo sermón, y luego yo canté.

De pronto, ese pobre y austero gimnasio se iluminó

con trascendental belleza. Era un lugar de luz y alabanza, un lugar para la presencia de Dios.

Se saturó de su Palabra y con dulces canciones de alabanza. La esperanza, el júbilo y las risas se filtraron hasta la calle. La alabanza era más poderosa y gloriosa en contraste con la oscuridad circundante. Era como una delicada flor creciendo en un pozo negro. Era una isla de jubilosa luz, sanidad y justicia en un mar de crueldad, injusticia y sufrimiento.

Un lugar apartado de la locura del mundo.

Había descubierto que la alabanza tiene el poder de transformar lo establecido, no importa lo que sea.

LA ALABANZA DE UN CORAZON DECIDIDO

No es habitual que por casualidad hojee el libro de Números, pero el otro día leí una historia interesante en el capítulo 21.

Números 21:10 cuenta cómo los israelitas, en su viaje por el desierto, bordearon Moab. El desierto no es un lugar divertido. Tuvieron sed y un único pensamiento en mente: *«Necesitamos agua, pero no queremos las serpientes»*. La última vez que habían necesitado agua se habían quejado a Dios, y Dios les había enviado serpientes venenosas como respuesta (Números 21:5-9).

Habían aprendido una dolorosa lección. Esta vez habían decidido no aterrorizarse. No se quejaron sino que alabaron. Y como respuesta Dios les dio agua. Un verdadero milagro en el desolado desierto y un impactante ejemplo de cómo Dios refrescaría a sus santos cuando lo alabaran.

Yo no soy muy diferente a aquellos hombres; me llevó tiempo aprender que la respuesta es la alabanza. Hubo días de sequedad y polvo en mi alma, a veces, de frialdad en mi espíritu. Cuando una nube sombría pende sobre mí, no importa qué haga o a quien vea, todo resulta un esfuerzo. En momentos como esos, es fácil quejarse. En lo que a Satanás se refiere, las quejas y murmuraciones lo ponen contento.

Satanás palmea las manos cuando vagamos por un seco desierto sin vida. Una de sus metas es obligar a los hijos de Dios a quejarse para que rindamos poco en nuestra labor. Pero hay una salida y la respuesta está en Números 21.

Alaba al Señor. No me refiero a hacerlo de manera superficial o impertinente. Tampoco estoy hablando de un ejercicio mecánico. Me refiero a la alabanza sincera, aunque hagas rechinar los dientes y entones salmos cuando tu corazón no lo quiere. La alabanza con sentido es aquella que se hace aun cuando a veces no la sientas. Hasta David muchas veces comenzó a alabar a Dios de esa manera. Casi lo puedes escuchar hablando con las mandíbulas apretadas, cuando dice en el Salmo 57:7: «Pronto está mi corazón, oh Dios, mi corazón está dispuesto; cantaré y trovaré salmos». Ya ves que un corazón dispuesto es un corazón decidido. El corazón de David estaba seguro de la confianza en Dios y su soberanía, más allá de las dificultades.

Si estás herido, Jesús está pronto a ayudarte para alabar. Isaías 61 dice que «Jehová me ha enviado a vendar a los quebrantados de corazón... que se les dé gloria en lugar de ceniza, óleo de gozo en lugar de luto, *manto de alegría en lugar del espíritu angustiado*». ¿Te das cuenta? A veces la alabanza, como el manto, que no es ni siquiera parte de ti, tiene que cubrir tu espíritu angustiado.

Ya has pasado por eso antes... el suspiro profundo, el dolor hasta de orar, menos de alabar. Puedes dar un paso gigantesco en tu vida espiritual, en dirección directa a la salida del polvo y la sequedad del desierto, si eres capaz de decir con el salmista: «¿Por qué te abates, oh alma mía, y te turbas dentro de mí? Espera en Dios; porque *aún he de alabarle. Salvación mía y Dios mío*» (Salmo 42:5).

ENSÉÑANOS A ALABAR

Qué, quién, cómo, dónde, cuándo y *por qué.* ¿Te acuerdas de esas palabras? Ellas eran tu guía cada vez que abrías el libro de texto en el colegio secundario. Si podías resolver qué, quién, cómo, dónde, cuándo y por qué, seguramente habías entendido el tema.

No hay diferencia tratándose de la alabanza a Dios. No es algo que se produzca de manera natural en nosotros. La alabanza está en contra de nuestra naturaleza. Va a contrapelo con nuestro temperamento. Algunas veces, la alabanza es una obligación, es el deber de abrir los labios para alabar.

Recuerda las palabras de David en el Salmo 57:7. Me gusta la expresión de David: «Cantaré». El salmista vuelve a enfocar sus emociones y a alinear sus pensamientos dirigiendo nuevamente su voluntad hacia la alabanza. David había aprendido que la alabanza era tan buena para su alma como para glorificar a Dios.

Entonces, ¿*quién* va a alabar a Dios? ¡Yo! ¡Tú! Y no sólo nosotros, sino que toda la creación queda involucrada. «Porque con alegría saldréis y con paz seréis vueltos; los montes y los collados levantarán canción delante de vosotros y todos los árboles del campo darán palmadas de aplauso» (Isaías 55:12).

Como alguien ha dicho, ¿por qué los árboles se regocijarán tanto?

La alabanza es beneficiosa para el pueblo de Dios.

¿*Dónde* alabamos a Dios? Los salmos nos enseñan a alabar a Dios «entre las naciones», y «entre los pueblos» (Salmo 96:3). La alabanza es adecuada en cualquier lugar en que nos encontremos... canturreando una alabanza parados en el semáforo, citando nuestro versículo preferido mientras doblamos la ropa, o repitiendo las palabras de algún himno de alabanza mientras arreglamos el jardín.

¿*Cómo* debemos alabar a Dios? Con nuestra boca, con voz de júbilo, con «salterio» y con grandes gritos (Salmo 33:1-3; 63:5). La Biblia dice que podemos alabar a Dios hasta con pandero y danza, con cuerdas y flauta (Salmo 150:4). Tengo un álbum de música instrumental en casetes que casi lo sé de memoria. Y me encanta alabar a Dios tanto cuando la música es más fuerte o cuando se hace suave y serena.

¿Cuándo debemos hacer todo esto? Mira atentamente el Salmo 34:1: «Su alabanza estará de continuo en mi boca». Otros salmos nos dicen que debemos alabar a Dios todo el día, continuamente, o siete veces al día (Salmos 35:28; 71:6; 119:164). Creo que uno de los momentos más significativos para alabar a Dios es cuando me despierto en medio de la noche y no puedo volver a conciliar el sueño. Me resulta reconfortante alabar a Dios «en las vigilias de la noche» (Salmo 63:6).

Finalmente, *¿a qué* le damos loor? Bueno, por lo menos un Salmo habla bastante acerca de las portentosas obras de Dios (105). En todas partes aprendemos a alabar a Dios por su Nombre, su Palabra, su poder admirable, sus maravillas y su fidelidad, como para mencionar algunas razones (Salmos 8:1; 56:4; 66:3; 89:5; 119:105).

Tal vez el Salmo 150:2 resume todo al decir: «Alabadle conforme a la muchedumbre de su grandeza».

¿Por qué alabamos a Dios? Romanos 8:32 dice: «El que no escatimó ni a su propio Hijo, sino que lo entregó por todos nosotros, ¿cómo no nos dará también con El todas las cosas?» No nos asombremos porque el coro celestial cante: «El Cordero que fue inmolado es digno de tomar el poder, las riquezas, la sabiduría, la fortaleza, la honra, la gloria y la alabanza» (Apocalipsis 5:12).

Alabamos a Dios porque El es digno de recibir loor.

NO HAY MOTIVO PARA TEMER A DIOS

Puede ser que todavía no te consideres un buen alumno en cuanto a la alabanza. Si es así, permíteme descubrir el motivo. De la Trinidad, ¿con quién te relacionas mejor? ¿Con Dios el Padre, Jesús el Hijo o con el Espíritu Santo? Sé que estarás pensando: *«Es una pregunta tramposa... ¡los tres son iguales!»* Tienes razón, pero sé que muchos de nosotros nos relacionamos con las distintas personas de la Trinidad de manera diferente. He oído de una mujer, por ejemplo, que le tenía pánico a Dios el Padre. Había leído todo el Antiguo Testamento, y cómo Dios había mandado a sus líderes a destruir ciudades enteras, cómo Él había castigado el pecado y qué alto nivel de santidad exigía en su pueblo, entonces ella no podía relacionarse con Dios Padre, y mucho menos alabarlo.

Ella decía que sí podía alabar a Jesús. Se relacionaba con Él con más facilidad. Jesús había dedicado tiempo a los heridos, había conversado con los discapacitados en el templo, hablaba con los niños y siempre buscaba a los desvalidos. Jesús era sensible, bondadoso y compasivo... por lo que esta mujer se sentía atraída hacia Dios el Hijo. Ella no se sentía condenada por Él aun cuando tropezaba y caía en pecado. Ella oraba solamente con Jesús. Comenzaba su conversación con Dios con el nombre del Señor Jesús.

Pero sucedió algo maravilloso.

Leyó el primer capítulo de Hebreos y supo que Jesús es la representación exacta de Dios. En Juan 1:18 leyó: «A Dios nadie le vio jamás; el unigénito Hijo, que está en el seno del Padre, él le ha dado a conocer». La mujer estaba fascinada. Tomó conciencia que conocer a Jesús era lo mismo que conocer al Padre. Ella no tenía por qué estar aterrorizada. Podía relacionarse con Dios el Padre porque Él y el Hijo eran iguales.

Quizás en el Antiguo Testamento el pueblo tenía miedo de acercarse a Dios, pero Jesús abrió de par en par la puerta de acceso al Padre, y eso solo tendría que motivarnos para alabarlo. ¡Qué libertad! ¡Qué confianza! No hay ninguna razón para temer, y sí muchas razones para confiar en Él y darle loor y adoración.

Cuando no podemos expresarlo todo

¿Alguna vez estuviste tan lleno, tan saturado de alabanza que casi no podías parar? A David le pasó eso. «Sea llena mi boca de tu alabanza, de tu gloria todo el día» (Salmo 71:8). ¿Alguna vez te encontraste en una situación en la que, sencillamente, no podías expresar todas las cosas buenas de Dios?

Cuando escribí mi tercer libro, *Choices... Changes*, una buena parte de varios capítulos la dediqué a mi esposo Ken. Cuando escribo mis libros, a veces uso un palito en la boca para marcar las teclas de la computadora, pero casi siempre tengo que pedir prestadas manos ajenas. Un día mi secretaria estaba sentada a mi lado, mecanografiando «a mil por minuto» mientras yo hablaba de Ken «a mil por minuto». Le conté cuando lo conocí, cómo hablaba, cómo sonreía, cómo se conducía, cómo se movía cuando jugaba a la raqueta. Las palabras fluían sin ningún esfuerzo. Escribir acerca del día de nuestra boda y de nuestro casamiento fue divertidísimo. Obviamente, no necesité usar un diccionario para pensar en adjetivos. Podía hablar sin parar.

¡Y cuántas veces fue así! Mi secretaria tenía que decirme: «¡Uy, Joni! ¿No crees que ya hablaste demasiado de los músculos de Ken?», o: «Joni, esta es la cuarta vez en este capítulo que nos dices lo buen mozo que es Ken».

¿No es divertido? Todo lo bueno que dijera de mi marido nunca era suficiente.

Apuesto a que así es con todos los que se aman. Tú quieres que todos sepan que esa persona es especial, ya sea tu pareja, tu amigo, tu hijo, tu sobrino, tu sobrina o tu nieto. Lo ideal es encontrar a alguien interesado en escuchar tu fervorosa descripción. Es como si se multiplicara tu placer.

Escucha como el autor de Hebreos habla de Jesús, su mejor amigo. Es como si alguien se le hubiese acercado para decirle: «Parece que has puesto gran atención en la persona de Jesucristo. ¿Quién es? ¿Por qué estás tan emocionado con respecto a El? ¿Podrías describirlo?»

Al encontrar un oído atento, el autor no pudo decir suficiente. Mira el pasaje comenzando con Hebreos 1:1:

«*Dios, habiendo hablado muchas veces y de muchas maneras en otro tiempo a los padres por los profetas, en estos postreros días nos ha hablado por el Hijo, a quien constituyó heredero de todo, y por quien asimismo hizo el universo; el cual, siendo el resplandor de su gloria y la imagen misma de su sustancia, y quien sustenta todas las cosas con la palabra de su poder, habiendo efectuado la purificación de nuestros pecados por medio de sí mismo, se sentó a la diestra de la Majestad en las alturas, hecho tanto superior a los ángeles, cuanto heredó más excelente nombre que ellos.»*

Un vistazo a este pasaje nos da suficientes razones para alabar al Señor. Nota las «seis razones para darle loor».

- *Cristo es el heredero de toda la creación.* Desde el comienzo, el escritor levanta a Jesús al sitio que le corresponde.
- *Fue por la palabra hablada de Jesús que el universo fue hecho.* Mira a tu alrededor. Desde las montañas hasta los arbustos, todo ha cobrado vida por el Señor Jesús.
- *El Hijo es el resplandor glorioso del Padre.* Así como la luz brillante del sol no puede apartarse de este, Jesús no puede separase de la gloria del Padre. El mismo es Dios.
- *Jesús es la exacta representación del ser de Dios.* Así como la imagen queda impresa en la cera caliente, Jesús es la exacta representación del carácter y la naturaleza de Dios.
- *Jesús es quien «sustenta todas las cosas con la palabra de su poder»* (1:3). Así como el mundo fue creado por la palabra de su boca, El mantiene unida toda su creación. ¡Qué poder!
- *Jesús provee purificación de pecados por su maravillosa obra en la cruz.* Con su muerte, Cristo pagó la inmensa penalidad por nuestros pecados para satisfacer la justicia de Dios. Jesús se sentó a la diestra de la Majestad en las alturas

(1:3). Una vez completada la obra, Jesús regresó a su lugar al lado del Padre. Es desde el trono del Padre desde donde El gobierna sobre todas las cosas.

Con la tinta de su pluma deslizándose rápidamente, el escritor continúa capítulo tras capítulo... Jesús, Jesús, Jesús, Jesús.

¿Qué sucede contigo? ¿Si alguien te pidiera que hicieras una breve descripción del Señor Jesús, ¿saldrían sin esfuerzo las palabras de tu boca o buscarías en algún buen diccionario algunos adjetivos y adverbios para calificarlo?

Si ves que no tienes en tu vocabulario suficientes calificativos para describirlo, me gustaría presentarte al escritor de Hebreos. Lamento no poder darte su nombre, pero El estaba tan compenetrado en su tarea que se olvidó de presentarse a sí mismo. Tal vez ustedes dos puedan salir juntos esta tarde por algunos minutos.

No hay nada más agradable para un fervoroso escritor que encontrar oídos atentos.

TU LUGAR APARTADO...

¡Nuestras bocas pueden ser llenas con sus alabanzas! Y a cualquier sitio que vayamos podemos hacer de él nuestro lugar de alabanza.

¿De qué se llenó tu boca en el día de hoy? ¿Regaños? ¿Subterfugios? ¿Tonterías? Detente y pon en tu corazón alabanzas a Dios. Considera el quién, dónde, por qué y el cuándo de tu alabanza. Hablando de cuándo, ¿por qué no ahora mismo?

Si tienes un diccionario a mano, busca palabras como *noble*, *grande*, *honor* y *loor*. Anota los sinónimos de manera que puedas llenar una página entera.

Ahora ya dispones de abundante vocabulario para alabar al Señor.

Capítulo catorce

Un lugar de sacrificio

Ofrezcamos siempre a Dios, por medio de él,
sacrificio de alabanza, es decir,
fruto de labios que confiesan su nombre.
Hebreos 13:15

No ofreceré a Jehová mi Dios
holocaustos que no me cuesten nada.
2° Samuel 24:24

A cualquier sitio que vayamos en Polonia, la gente nos ofrece flores; arreglos florales hechos con fresias frescas y dulces arvejillas. En las habitaciones de los hoteles siempre hay un ramo de gladiolos o tulipanes. ¡Pero qué extraño es ver esas mismas flores meciéndose al viento aquí, en Auschwitz. Aun cuando los terrenos de este campo de concentración están muy pulcros, los delicados manojos de florecitas silvestres crecen en uno y otro lado, todo alrededor de los cimientos de los edificios de ladrillos y de los troncos de los árboles. Nos preguntamos si el gobierno, que ha abierto un museo en el lugar, ha sembrado semillas como para darle algo de vida al opresivo y horrible lugar.

Veo una hilera de primorosos rosales, plantados a corta distancia de las horrorosas cámaras de gas y le pregunto al guía. Se apresura a señalar que donde ahora están las flores había quedado la tierra desnuda y endurecida, debido a que los prisioneros hambrientos se habían comido hasta la última hierba.

LUGAR:
Auschwitz, Polonia.
MOMENTO:
Abril de 1982.

Solamente ladrillos y alambres de púas... almacenes donde se guardaban anteojos, dientes de oro, cabello, bastones, muletas, zapatos, audífonos, registros amarillentos y polvorientos con nombres y números prolijamente tabulados... horcas y torres de vigilancia... hasta las siniestras chimeneas y los hornos..., siempre había pensado en eso asociándolo con los campos nazi.

Me estremecí, pero no a causa del frío sino al pensar que la gente discapacitada como yo había sido la primera en ser exterminada bajo el rótulo de «inservible deglutidor de pan».

Ni siquiera el pensar en eso es algo nuevo. Son las flores. No esperaba encontrar flores. Debido a que las veo como fuera de lugar es que me conmueve más que ninguna otra cosa.

Hicimos el corto trayecto desde Auschwitz hasta Birkenau. Aquí era donde se traían en vagones de ferrocarril a los judíos y disidentes. Se los dejaba en la negra y helada noche, ante los poderosos e insanos hombres que los apuntaban con sus armas de fuego. A los niños se los apartaba a un lado con la culata de los fusiles y las madres al otro. Los hombres eran separados en grupos de jóvenes y viejos. Pero casi todos ellos, millones de hombres terminaron en el mismo lugar: los incineradores, ahora derribados y cubiertos de hierba, al final del campo.

Un mundo loco. Sí.

No queda nada en este campo. Nuestro guía explica

que donde se ven las ordenadas hileras o pilas de ladrillos estaban las maderas quemadas de las barracas. No queda nada de las torres de vigilancia. Inclusive las vías ferroviarias y los rieles han sido levantados. Pero el lugar está cubierto por margaritas pequeñas meciéndose al viento.

—¿En qué estás pensando? —me pregunta Ken, agachándose para arrancar una flor silvestre.

—Estoy pensando en Tante Corrie... Corrie ten Boom —le contesté. —Ella estuvo en un lugar similar a este —dije haciendo un movimiento de cabeza hacia el campo de fantasmas. —Por lo visto, ella podría haber muerto cuarenta años atrás en ese campo de concentración.

Suspiré.

Ken movió la cabeza asombrado.

—¡Quién hubiera pensado que viviría a los cincuenta años! —se maravilló al ver las ruinas de los incineradores a pocos pasos de distancia. —Y después, comenzar un ministerio nuevo.

Recuerdo el funeral de Tante Corrie en un cementerio suburbano, a pocos kilómetros al sur de Los Angeles. También ese día me habían impresionado las flores. No los arreglos que se arman con corazones o se colocan en cruces o palomas. Tampoco las que vienen en estandartes con satén blanco y mensajes de condolencias escritos con letras doradas. Había floreros, muchísimos floreros de frescos tulipanes amarillos y rojos. Ramilletes de radiantes claveles dobles blancos y ramos de rosas rojas que alguien había cortado del jardín de Corrie. El ataúd estaba cerrado. Había música de Bach. Los elogios a su persona eran dichos con fervor, pero modestamente.

La única extravagancia era la gran cantidad de flores.

La pequeña capillita de piedra estaba saturada de una dulce fragancia.

Al estar aquí sentada, en este vasto campo, me viene a la memoria el recuerdo de Corrie. Las únicas cosas que se mueven son las margaritas mecidas por el viento. Es al mismo tiempo impactante y conmovedor. Para Corrie, quien sobrevivió a este infierno, lo primero que se podría decir sería que el sufrimiento en ese lugar la confrontó con la realidad del amor y el odio en su corazón. El confinamiento en su celda solitaria tocó su vanidad y dignidad. Las necesidades de sus compañeras de prisión la exponían constantemente ante la necesidad de dar y compartir. No podía acusar. No podía olvidar. Era un sacrificio de alabanza al Unico que había sacrificado todo por nosotros.

Bajé la vista a las margaritas que Ken me había colocado en el brazo. Sonreí al pensar que mi silla de ruedas me confrontaba diariamente con el amor y el odio de mi propio corazón. Tocaba mi dignidad y constantemente exponía mi necesidad de darle a quienes sufren. No tenía a quién acusar por mi situación.

Levanté la vista hacia Ken, quien estaba sentado en el césped, a mi lado. Dios nos había unido para edificarnos, para alentarnos, para amarnos. Nuestro matrimonio expone incansablemente mi necesidad... nuestra necesidad de dar y compartir, y dejar a un lado las acusaciones. Nuestra necesidad de sacrificarnos el uno por el otro, y por nuestro Señor.

UN SACRIFICIO DE ALABANZA

Sacrificio. ¿Suena como un mal augurio? ¿Un poquito repugnante?

Para aclarar el significado de esa palabra, mi diccionario dice que sacrificio es «*dar algo valioso en beneficio de otra cosa*». Cuando nos sacrificamos, nos cuesta, ¿no es verdad?

Eso nos ayuda a definir el «sacrificio de alabanza». Si alabas al Señor en medio de penurias menores y grandes sufrimientos, estás ofreciendo un sacrificio de alabanza. Ese sacrificio a ti te cuesta mucho... tu amor propio, tu enojo, tu lógica humana y el lujo de usar tu lengua quejosa. El sacrificio de alabanza te cuesta tu voluntad, tu resentimiento y hasta tu deseo de tomar el rumbo que tú quieres en esa situación. ¿Y en beneficio de quién debemos rendir todas esas cosas? Lo hacemos por Cristo y para su gloria.

Ya sea un problema financiero, una enfermedad repentina o una derrota personal, si te concentras en alabar a Dios, entonces has ofrecido un sacrificio. Si durante ese tiempo de sufrimiento has clamado: «Señor, esperaré en ti y te alabaré más y más», entonces sabes que has ofrecido palabras que te han costado mucho. La alabanza en esas circunstancias es dolorosa. De todas maneras, es lógico, aunque nuestra lógica se pregunte si Dios tiene idea de lo que está haciendo.

Con frecuencia asumimos que la alabanza es una explosión de entusiastas frases, felices y alegres palabras que brotan de un espíritu saturado. Pero no necesariamente es así. El salmo 65:1 describe una manera diferente de alabar: «Tuya es la alabanza en Sión, oh Dios, y a ti se pagarán los votos». Es como si dijéramos: «he orado en relación a este asunto y ahora Señor esperaré confiadamente en ti aun antes de ver la respuesta. La espero. Este es mi sacrificio de alabanza a ti. Creo y espero confiado».

Por favor, recuerda esto: muchos de los versículos que dan loor a Dios han sido escritos por personas que se encontraban ante devastadores sufrimientos, injusticias, traiciones, difamaciones e innumerables situaciones difíciles. Ellas sabían que el sacrificio de alabanza era la llave a la victoria en su crecimiento espiritual.

CONFORTANDO MI CORAZON EN LA ALABANZA

Recuerdo que en una época se me pidió –casi fui forzada– a presentar un sacrificio de alabanza a Dios. En los primeros años en que estuve en el hospital luché por poner juntas aunque más no fuera dos palabras sentidas de alabanza a Dios. Ansiaba que llegara el día en que se me desapareciera el dolor. Las muy bien intencionadas enfermeras que me atendían con sus blancos uniformes almidonados y sus nombres impresos en el bolsillo sólo agregaban más sentimientos negativos hacia la institución. Detestaba mi vida. Dejé de orar. ¿Alabar? Lejos estaba de mí. Sólo me deleitaba quejándome. Saboreaba mi ira y mi resentimiento. En mi cabeza no cabía cómo un Dios bueno podía haber permitido que una de sus hijas tuviese ese accidente. Mi buen amigo Steve Estes comenzó a encaminarme. Me gustaba este joven cristiano porque siempre me traía pizza, cosas dulces y refrescos. Por eso, cuando abría la Biblia, yo escuchaba. Un día leyó 1ª Tesalonicenses 5:18: «Dad gracias en todo, porque esta es la voluntad de Dios para con vosotros en Cristo Jesús».

Cerró la Biblia, me miró y me dijo amablemente:

—Joni, ya es hora que comiences a dar gracias por tu silla de ruedas.

—No puedo —dije un poco conmovida. —No va a ser espontáneo. No lo siento y no quiero ser hipócrita. Ya fui bastante hipócrita en la secundaria. No quiero volver a serlo. No voy a dar gracias cuando no lo siento.

Steve dijo:

—Un momento, Joni; vuelve a leer el versículo. Allí no dice que lo tengas que sentir. Dice: «Dad gracias en todo porque esta es la voluntad de Dios para con vosotros en Cristo Jesús». Puede ser que tu agradecimiento no sea espontáneo, pero puede ser un sacrificio. Confiar en la voluntad de Dios no es, necesariamente, tener sentimientos confiables.

Argumenté:

—No puedo darle gracias a Dios cuando no sé por qué está sucediendo todo esto.

Steve me regañó bondadosamente.

—Joni, aunque Dios te diera todos los motivos, sería más de lo que pudieras entender. Los caminos de Dios son inescrutables. Tú te encuentras en el punto de partida de este largo viaje por la vida en silla de ruedas. No esperes entender todos los pormenores desde el principio.

—Pero, no me *siento* agradecida.

—Está bien. El versículo no dice «siéntanse agradecidos», sino «dad gracias». Hay una gran diferencia.

Apreté los dientes y en medio de las lágrimas agradecí por encontrarme en esa situación.

—Bien, Señor, te agradezco por esta cama de hospital. Preferiría comer pizza y dulces en lugar de la comida del hospital, pero si Tú así lo quieres, está bien. Y, Señor, te agradezco porque la terapia física me está ayudando. Gracias por todos los golpes que recibo en la espalda en las sesiones de rutina y gracias porque cuando practiqué escribir con un lápiz entre los dientes, no me veía como un pollo mojado.

Más tarde cambié. Los sentimientos de agradecimiento comenzaron a aparecer. Fue como si Dios me recompensara con el sentimiento de gratitud por haber obedecido dando gracias.

Cuando comencé a notar que al darle gracias a Dios yo cambiaba haciéndome más parecida a Jesús, ya no fue un esfuerzo expresar gratitud. Quizás en el principio me costó mi lógica y mis quejas, pero la alabanza llegó más fácilmente después de ver los efectos de ese sacrificio.

¿POR QUE ES COSTOSA LA ALABANZA?

Puedo escuchar a alguien diciendo: «Está bien, Joni, pero yo no soy tú. Yo tengo que resolver otra clase de problemas. Llevo mi carga porque son mi porción en la vida. Simplemente, doy una profunda inspiración, y Dios y yo seguimos adelante».

Si te estoy describiendo, eres del tipo de persona que se resigna. Debes tener algo de *estoico* sintiéndote como mártir. Pero, sé honesto... ¿es un verdadero sacrificio el resignarte? Creo que estarás de acuerdo conmigo en que la resignación *no es* un sacrificio de alabanza.

Están aquellos que se someten a los problemas. Se quejan y suspiran profundamente. Estas personas se aseguran que quienes los rodean «vean» que están cargando una pesada carga. Pero el sometimiento tampoco es un sacrificio de alabanza.

Entonces ¿qué es un sacrificio de alabanza?

Primero, no creas que debes llegar a ser perfecto para recién comenzar a alabar a Dios. Recuerda que El no es un Dios rígido e inflexible que se olvide fácilmente que somos «polvo». El conoce «nuestra condición», sabe que no somos más que humanos (Salmo 103:13; 78:39). No importa cuán grande o pequeño sea el sacrificio, Dios sabe el motivo que te impulsa a alabarlo.

Aprendí esa dura lección hace unos pocos años atrás.

En la década de los ochenta, antes de los cambios políticos en Polonia, Ken y yo visitamos varias iglesias y disertamos en diversos centros de rehabilitación. Cuando volví a los Estados Unidos traté de compartir mis impresiones con una amiga. Quería describirle el cálido recuerdo que me dejó el abrazo de una querida anciana polaca que olía suavemente a ajo. El aroma a ajo estaba impregnado en su suéter, en sus manos, en su abrigo, hasta en su aliento. Quizás, en otro momento, el olor me hubiera hecho dar vuelta la cara, pero desde aquella visita el ajo se convirtió en sinónimo de alegría y sonrisas, abrazos felices con nuevos amigos. Para mí el ajo significa... Polonia.

En el momento en que estoy por describir este recuerdo, me detengo. No creo que pueda explicar todas las cosas buenas asociadas al ajo. Para los que vivimos acá, el ajo no nos parece de dulce y fragante aroma (a no ser que estemos condimentando la famosa receta de lasagna de la abuela). Para la mayoría de los habitantes de este país el olor a ajo es como desodorante de ambiente en aerosol con perfume a zorrino. Lo que para una persona es un olor agradable, para otra es espantoso. A veces pienso en ello cuando estoy ofreciendo sacrificio de alabanza a Dios. Quiero que mi alabanza sea «de olor fragante, agradable a Dios» (Filipenses 4:18). Sé lo que hay en mi corazón cuando arranco a la fuerza las palabras de alabanza, en medio de las penurias y el dolor, y creo que Dios sabe también lo que hay dentro de mi corazón.

«Señor, estoy herida pero tú eres mi ayudador... (larga pausa) ...y te alabo... (breve momento de duda, luego una rápida recuperación)... y pondré mi confianza en ti... (¿estoy segura? Sí, lo estoy) ...y descanso en ti... (otra larga pausa) ...en el nombre de Jesús. Amén.»

Puede ser que a algunos no le suene como un sacrificio de alabanza y si ciertas personas lo escucharan, pensarían que mi sacrificio de alabanza huele a ajo. Darían vuelta la cara; sencillamente, no lo entenderían. Pero yo sé... que Dios entiende. Y eso es todo lo que cuenta.

Resumiendo, cuando pienso en el sacrificio de alabanza, pienso en la palabra *abrazo*. Abrazando la voluntad de Dios, aunque los sentimientos no estén presentes, es ofrecerle a Dios tu corazón completamente dedicado a su propósito. Creyendo eso, de acuerdo a Romanos 12, tú puedes probar en la práctica que la voluntad de Dios para ti es buena, aceptable y perfecta.

Costará... pero, qué valor tendrán esas palabras que le ofreces al Señor.

Si puedes alabar a Dios
EN ESTA SITUACION...

Tú oyes a las madres diciendo esto constantemente.

Los chicos quieren quedarse en casa quejándose de dolor de cabeza o de estómago, pero en cuanto el ómnibus escolar da vuelta en la esquina, saltan de la cama, sacan los juguetes, prenden el televisor o corren escaleras abajo para arrasar con el refrigerador.

¿Y qué dicen a esto todas las madres?: «Si estás lo suficientemente bien para hacer eso, también lo estás para ir a la escuela...»

Escuché ese mismo guión hace unos meses atrás cuando estaba haciendo dieta. En casa de una amiga rechacé un apetitoso trozo de pastel de almendras, cubierto de crema y rociado de nueces. Mi amiga me dijo:

—Si puedes rechazar esto entonces, puedes rechazar cualquier cosa.

Casi puedes escuchar la voz de Dios diciéndote a ti lo mismo: «Mi hijo, si puedes alabarme y glorificarme en *estas* circunstancias, puedes glorificarme en todo». Y es cierto...

... cuando estamos atravesando devastadoras frustraciones,

... o batallando con serios problemas familiares,

... o aprendiendo a contentarnos con los dientes apretados en medio de una dolorosa enfermedad,

... o aceptando la repentina pérdida de un ser querido.

Al principio puede resultarnos curioso que Dios use frecuentemente el sufrimiento para hacer que nuestras vidas sean «para alabanza de su gloria», como dice el libro de Efesios. ¿No hay mejores maneras de glorificar a Dios... o por lo menos, maneras más fáciles?

Sí, es curioso, y frecuentemente sobrepasa nuestro entendimiento. Pero la verdad permanece... siempre que un cristiano es hallado fiel en la aflicción, pagando bien por mal, devolviendo amor cuando ha sido maltratado, manteniéndose firme en el sufrimiento o constante en su amor cuando está solo y herido, abrazando el lugar de sacrificio. Allí el Señor recibe la más radiante, esplendorosa y auténtica clase de gloria.

Si podemos glorificarlo a El de esa manera, Dios nos dará toda clase de nuevas oportunidades, nuevas circunstancias en las cuales lo glorifiquemos. El hará eso porque sabe que somos confiables y que lo haremos con gracia.

Quizás ahora te encuentres en un momento de tu vida en el cual no puedes ver la alabanza a Dios como la respuesta a tus tribulaciones. Se siguen apilando los platos, tus amigos siguen sin entenderte, no has tenido ningún descanso en los últimos fines de semana, ni siquiera los domingos y tus dolores de artritis no aflojan.

Permíteme decirte algo. Si puedes alabar a Dios ahora

mismo, en medio de todo ello, entonces puedes glorificar a Dios en *cualquier* circunstancia.

UN SACRIFICIO VIVO

No creo que podamos hablar sobre el sacrificio de alabanza sin tomar en cuenta el cuadro general: nuestro sacrificio vivo.

Nuestros cuerpos deben ser presentados «en sacrificio vivo, santo, agradable a Dios, que es vuestro culto racional» (Romanos 12:1).

Un sacrificio vivo. Acostumbraba a pensar en una oblación sangrante colocada sobre el altar de bronce. Bueno, ese cuadro del Antiguo Testamento no está muy lejos de ser lo que Pablo dice en Romanos 12. Francamente, cuando leo ese versículo, me veo a mí misma sobre el altar. Pero con un cambio. En el momento en que Dios está por encender el fósforo para prender el fuego de alguna tribulación en mi vida, me imagino a mí misma haciendo lo que cualquier sacrificio vivo haría: ¡huir del altar!

Para decirlo sencillamente, este es el dilema con el que se enfrentan todos los cristianos. Los sacrificios vivos buscan la forma de escabullirse del altar cuando las llamas de las frustrantes tribulaciones se calientan demasiado. Pero el tema resuena desde las Escrituras: «El que pierda su vida por causa de Cristo, la encontrará. Toma tu cruz –tu altar de sacrificio– y sigue a Jesús. Si morimos con Cristo, viviremos con El. Si morimos con él, reinaremos con él». Hay infinidad de versículos que dicen lo mismo.

Aunque parezca muy exigente, Dios dice que presentemos nuestros cuerpos en sacrificio vivo porque ese es nuestro culto *racional*. Y lo que es más, cuando estamos en el altar debemos alabar a Dios por la tribulación, porque El la está usando para moldearnos a la imagen de su Hijo. Mientras que nuestro cuerpo es un sacrificio vivo, nuestros labios ofrecen el sacrificio de alabanza. Es lógico, ¿no?

Hablando humanamente, no. Con la gracia de Dios, sí.

¿Te has sorprendido a ti mismo escapando del altar últimamente? Dices que confías en Dios ante un determinado problema y luego te escabulles del altar del Señor para arreglar las cosas a tu manera? ¿O regateas con Dios desde el altar, sugiriéndole que baje un poco la llama, como si El necesitara consejo? ¿O discutes con Dios sobre la duración del tiempo en que El te mantiene al rojo vivo?

En vista de las misericordias de Dios, en vista de la única y gran oblación por nosotros, El nos pide la única clase de culto espiritual que es santo y agradable a El. Debes ser una ofrenda viva. Sí, puedes retorcerte bajo el calor de tu tribulación, pero eso no cambia el decreto de Dios. El te urge hoy a volver a subir al altar. Que tu vida, tu corazón, tus palabras, tu cuerpo, sean una ofrenda de alabanza a Dios. Y toma la decisión de aceptar y abrazar el lugar del sacrificio en el que te encuentras.

TU LUGAR APARTADO...
Ora mientras cantas este sacrificio de alabanza

Que mi vida entera esté
consagrada a Tí, Señor;
Que a mis manos pueda guiar
El impulso de tu amor.

¡Lávame en tu sangre, Salvador!
Límpiame de toda mi maldad.
¡Traigo a tí mi vida, para ser, Señor;
Tuya por la eternidad!

Que mis pies tan sólo en pos
De lo santo puedan ir,
Y que a tí, Señor, mi voz,
Se complazca en bendecir.

Que mi tiempo todo esté
Consagrado a tu loor,
Que mis labios al hablar
Hablen sólo de tu amor.

Toma, ¡Oh Dios!, mi voluntad,
Y hazla tuya, nada más;
Toma, sí, mi corazón.
Por tu trono lo tendrás.

¡Lávame en tu sangre, Salvador!
Límpiame de toda mi maldad.
¡Traigo a tí mi vida, para ser, Señor;
Tuya por la eternidad!

Capítulo quince

Un lugar de victoria

O, no oren para tener vidas fáciles.
Oren para ser hombres más fuertes.

No oren para realizar tareas
a la medida de sus fuerzas.
Oren para tener fuerza
a la medida de sus tareas.

Phillip Brooks, *Going Up to Jerusalem*

*P*alabras de loor. ¿Entendemos realmente el poder que tienen? ¿Captamos la admirable fuerza que hay detrás de lo que decimos? ¿Reconocemos la dinámica detrás de cada oración que intercambiamos con alguien? ¿Y las que le decimos a Dios? ¿Y al diablo? ¡No por nada a la lengua se le da tanta atención en el libro de Santiago!

Tengo una amiga cuya vida es una historia de loor y victoria. Denise fue mi compañera de cuarto casi por dos años cuando estaba en el hospital. Ella estaba paralítica y ciega. Una hermosa estudiante negra de diecisiete años, proveniente de Baltimore. Yo tenía la ventaja de poder sentarme en mi silla de ruedas de vez en cuando, pero Denise debía permanecer en cama todo el tiempo.

La cama de Denise hacía diagonal con la mía, la cual estaba contra la ventana. Ella no tenía ventana, pero siendo ciega no creo que significara mucho para ella. Estando paralítica, ella no podía sostener un libro o apretar los controles del televisor. Y en cuanto a la conversación se refiere, le demandaba un verdadero esfuerzo formular una frase. Algunos amigos pasaban de vez en cuando, pero una estadía prolongada en el hospital puede llegar a desanimar al visitante más comprometido. Al final, quedó sólo su madre, una mujer cristiana maravillosa, quien fielmente se tomaba el autobús que cruzaba la ciudad todos los viernes a la noche, a fin de sentarse al lado de la cama de su hija moribunda. Desde mi cama podía escucharla orando en voz baja y leyendo las Escrituras. Los dulces salmos y trozos de proverbios inundaban el aire de aquel lugar de locura, como rayitos de luz atravesando nubes negras.

LUGAR:
*Pabellón de niñas,
Instituto Estatal
de Rehabilitación,
Maryland.*
MOMENTO:
Noviembre de 1968.

Yo hacía como que no escuchaba, tratando de prestarle atención a *Yo soy espía* o *Laugh In* (o cualquier cosa que hubiere en la pantalla). Estaba tan amargada en mi ira que me resentí con Denise y su mamá. Pero a medida que fueron pasando los meses, me fui alegrando de la compañía de esa amable muchacha de hablar suave. Su presencia –serena como ella misma– suavizó la punzante soledad.

Lo más asombroso de Denise fue que nunca se quejó. En la habitación casi siempre había ese olor acre que hay en los hospitales, las sábanas estaban sucias, las enfermeras, quienes estaban sobrecargadas de trabajo y mal pagas, se encontraban siempre malhumoradas. Alguien ponía la radio demasiado fuerte en la sala de enfermeras, frente a nuestro pabellón. Y, por lo menos para mí, era depresivo ver que el punto de mayor interés para todo el mundo eran las telenovelas que se escuchaban desde el cuarto de al lado.

Recuerdo que en una oportunidad le pregunté a una enfermera

—Por favor ¿qué hora es?

—¿Por qué? ¿*Vas* a alguna parte, querida? —me contestó.

Eso fue doloroso. —No, no. No voy a ningún lado... pero, ¿podría saber qué hora es, por favor?

Qué lugar atroz era ese. Y Denise fue una tremenda lección para mí. Yo provenía de un barrio blanco de clase media, de casas agradables y bien cuidadas. A lo largo de las calles había robles y el césped bien cortado.

Denise, en cambio, había tenido una vida muy diferente, con muy pocas de estas ventajas. Ella no hablaba como las demás muchachas. Y aunque estaba agonizando, de su boca sólo salían alabanzas y oraciones de agradecimiento. Nunca lo olvidaré.

Mirando hacia atrás, me doy cuenta que nuestro cuarto de hospital estaba libre de demonios y malos espíritus de resentimiento, ira, codicia y auto destrucción, gracias a su sacrificio de alabanza. Y no puedo dejar de preguntarme si Dios no empezó su trabajo de redención emocional en mi vida por medio de Denise, quien estando paralítica y ciega, pavimentó el camino ganando la victoria sobre el diablo en nuestra habitación.

En Efesios 3:10 leemos: «...para que la multiforme sabiduría de Dios sea ahora dada a conocer por medio de la iglesia a los principados y potestades en los lugares celestiales». En otras palabras, Denise, en su lecho, puede ser que no haya sido de mucho testimonio para los acupados médicos y enfermeras, o para los amigos que ocasionalmente pasaban por allí, pero su alabanza a Dios llegó mucho más allá del cuarto del hospital para tocar los cielos.

Denise, en alabanza al Señor, estaba ganando una batalla que tú y yo vemos de vez en cuando. Ella vivía en un plano superior, en una dimensión que yo ni siquiera sabía que existía. La vida de Denise fue el campo de batalla donde las fuerzas del universo convergieron para hacer guerra. Y ella ganó la victoria a través de la alabanza a Dios.

NUESTROS ATENTOS TESTIGOS

Lejos estamos, tú y yo, de la condición en la que se encontraba Denise. Es más, a diferencia de ella, puede que te topes a diario con innumerables personas. Tu testimonio es visto por cientos de personas por semana –el muchacho de los mandados, el empleado de la estación de servicio, la señora de la tintorería, tu vecino, los padres de la escuela, tus amigos del coro. Tú te encuentras con la gente todos los días. ¿Ven ellos que tu vida está consagrada a alabar a Dios?

Y aunque vivas sólo en un pequeño departamento y apenas te interrelaciones con alguien, tu compromiso de alabanza a Dios cuenta, ya que hay infinidad de «álguienes» observándote. Dios usa tu alabanza como testimonio para los ángeles y los demonios en relación a su poder y sabiduría. Cuando te muerdes la lengua y refrenas el deseo de quejarte, estás ganando una victoria contra el diablo. Cuando alabas a Dios, les estás mostrando a las huestes celestiales, a los poderes y principados, a los demonios en las regiones oscuras y a los ángeles de luz que el gran Dios es digno de ser alabado, sin importar las circunstancias.

Nuestras palabras de alabanza alcanzan mucho más allá de lo que nos imaginamos. La victoria se encuentra en la alabanza. Las regiones de oscuridad tiemblan con la repercusión de nuestras alabanzas y nuestras expresiones de adoración al Señor tienen efecto en los cielos y en el infierno. Los demonios huyen y las fortalezas se rompen.

LA ALABANZA ALIGERA LAS CARGAS

¿Recuerdas cuando en la secundaria hacíamos frivolidades en la clase de química –perdón, «experimentábamos»– con papel tornasolado?¿Te acuerdas de ese pedacito de papel que ponías en ciertos líquidos para saber si eran ácidos o alcalinos? («peachímetro», por medir el *PH*, aunque mal llamado «tornasolado»). No me acuerdo de qué color se tenía que poner cuando lo ponía en un ácido; creo que era azul. Y se ponía rojizo si la sustancia era alcalina.

Me parecía increíble ver que esel papel, al apretarlo fuerte en mi mano, se ponía rojo. Un amigo hacía lo mismo y se ponía azul y a algún otro no se le ponía de ningún color. Nos reíamos de aquel que era el más ácido de todos, diciéndole que era «un viejo aguafiestas».

Desde que me casé, me di cuenta que los tontos juegos con papel tornasolado pueden decir mucho acerca de una persona. A veces creo que Dios permite que mi esposo Ken sea un gran pedazo de papel tornasolado. En las presiones de nuestro matrimonio, Ken me hace ver quién soy y de qué estoy hecha en lo más profundo.

Por ejemplo, detesto esos momentos en que estoy loca como una cabra y él está frío como el hielo. Ahí es donde él es el pedazo de papel tornasolado. Su paciencia y amor sólo consiguen poner de manifiesto mi egoísmo y falta de amor. Cuanto más amor me demuestra más desagradable me siento en mi enojo. En esos momentos soy una «vieja aguafiestas» en contra suyo.

Para ser imparcial, diré que muchas veces, cuando él está molesto con alguna tontería, Dios me da a mí la gracia de demostrarle amor. Es en esos momentos cuando yo soy el pedazo de papel tornasolado para Ken. Cuanto más dulce soy, más convicción tiene.

No hace mucho, mi esposo Ken y yo tuvimos uno de esos «exámenes de papel tornasolado». Lo encontré usando mi mejor pinza de depilar ¡para sacarle las pulgas a Scruffy, nuestro perro! ¡No podía creerlo! Ni siquiera me la había pedido. Había estado hurgueteando en los cajones del baño, había sacado la pinza y había procedido con la tarea de sacarle las pulgas al perro. Cuando terminó, ni siquiera la limpió con desinfectante; la volvió a guardar en el cajón.

¡Yo estaba furiosa!

—¡¿Qué crees que estás haciendo?!

Eso fue todo lo que necesitó para recordarme que debo decirle a las muchachas que me levantan a la mañana, que no usen su afeitadora en mis axilas.

Para tu conocimiento, debo decirte que peleamos fuerte. Las palabras iban y venían, y después de media hora Ken salió del dormitorio dando un portazo. Yo estaba encolerizada. Tomé la decisión de poner en práctica la «satisfacción táctica» de dar vuelta mi silla hacia la ventana para mirar hacia el jardín. Cuando volviera al cuarto y me encontrara así, se sentiría mal. Pasaron veinte minutos y Ken regresó. Suspiró, se sentó en el borde de la cama y meneó la cabeza. Nos quedamos en silencio.

Finalmente, yo hablé.

—Ken, lo siento, no me gustas.

El pensó y luego me dijo:

—Tampoco tú me gustas.

—¿Qué vamos a hacer? —le pregunté.

—No sé.

Otro largo silencio.

—Creo que deberíamos orar.

—Está bien. Empieza tú.

Yo tenía los ojos desorbitados. No podía entender que Ken pudiera orar, pero juntó fuertemente las manos y comenzó a decir frases muy bien armadas. Le temblaba la voz pero habló de la bondad de Dios y de su grandeza, aunque yo sabía que su corazón no estaba involucrado en sus palabras.

Me resentí con mi esposo por el esfuerzo que estaba haciendo. Cuanto más hablaba de la grandeza del Señor, menos amor sentía yo. Era como si las palabras de Ken fueran un pedazo de papel tornasolado. Dios estaba presionando su oración contra mí y mi «PH» salía ácido.

Intenté cerrar mis oídos a las alabanzas de Ken. Aunque su oración no era espontánea, era genuina. Empecé a sentir convicción. Misteriosamente, las palabras de Ken se fueron suavizando y sentí cómo su corazón se quebrantaba en la oración. Las lágrimas se asomaron a mis ojos y mi enojo desapareció. Eso fue todo lo que pude hacer para no detener a Ken en su oración y decirle cuánto lo quería.

Nunca había visto algo tan hermoso como el ver a mi marido alabando a Dios y diciéndome con lágrimas en los ojos:

—Tu turno.

Yo estaba atónita. Finalmente, balbuceé:

—Ken, me siento terrible. Necesito confesarle a Dios cuán abominable soy. No puedo creer que haya armado tanto lío por un par de pinzas de depilar.

Incliné mi corazón ante el Señor, y lo próximo que supe fue que mi marido y yo estábamos cantando juntos alabanzas a Dios. Al rato, Ken dijo:

—Joni, siento que un gran peso se me ha caído de los hombros.

Miré mi reloj.

—¿Ese sentimiento lo has tenido hace como cinco segundos?

—Si.

—No puedo creerlo. Es exactamente cuando yo sentí que la misma carga pesada era quitada de mí.

El aire se refrescó. Hasta el cuarto parecía más radiante. El peso se había ido. Nos abrazamos, aliviados al ver que nuestras alabanzas habían convertido una tumultuosa tormenta en victoria. La alabanza nos había unido y nuestra pareja había dado un gran paso adelante. Todo debido a que Dios nos dio la victoria a través de la alabanza.

LA ALABANZA ES
NUESTRA MEJOR ARMA

La alabanza fue lo último que tuvimos en mente el día aquél que discutimos. En medio de la discusión hubiese jurado que Ken era mi enemigo. Pero la oración me ayudó a ver que mi marido no era mi enemigo. Tampoco lo eran las circunstancias.

Lo mismo sucede contigo. Tus amigos no son tus adversarios. Tampoco lo son tus hijos, ni tu jefe. No peleamos contra carne y sangre en los problemas cotidianos; nuestro enemigo es Satanás. Nuestra lucha es contra él.

Si tú crees que lo tuyo es malo, piensa en lo que les pasó a Pablo y Silas. En Hechos 16 vemos que estos dos predicadores fueron acusados falsamente por los amos de una muchacha esclava que había sido liberada de demonios. Molestos porque la fuente de sus ingresos había cesado, acusaron a Pablo y a Silas de ser alborotadores de la ciudad, por lo que los magistrados mandaron azotarlos. Luego de flagelarlos y golpearlos, los encadenaron y los pusieron en la cárcel. El carcelero los puso en el calabozo más interno y mandó guardarlos con seguridad, atándoles los pies al cepo.

Imagínate el dolor; sus heridas abiertas cubiertas con la sangre seca, sus espaldas con llagas expuestas al húmedo aire del calabozo. Tal vez Pablo se sintiera desmayar, o Silas estuviese descompuesto del estómago.

¿Quién de nosotros se atrevería a recriminarlos por quejarse? Pero Pablo y Silas dirigieron sus pensamientos a Dios, no a sus acusadores. Eligieron orar y cantar himnos en voz lo suficientemente alta, de tal manera que los demás prisioneros los escucharan. En otras palabras, tuvieron victoria en la alabanza.

A pesar que los atacaron los hombres y Satanás, Pablo y Silas ganaron la batalla *con sus palabras*. Quizás gritaron el

Salmo 106:47: «Sálvanos Jehová, Dios nuestro, y recógenos de entre las naciones, para que alabemos tu santo nombre, para que nos gloriemos en las alabanzas».

Repito, ganamos las batallas con nuestras palabras. La victoria llega como resultado de la alabanza.

Tu lugar apartado...

¿No te sorprende que tu alabanza le enseñe a las huestes celestiales acerca de Dios, que tus oraciones sean un fuerte testimonio tanto para los ángeles como para los demonios? Asombroso ¿verdad?

La próxima vez que te veas tentado a pensar que tu respuesta a los problemas no beneficia a nadie en nada, antes de rendirte en la batalla, lee Efesios 3:10. Te ayudrá a recordar que alguien te observa, y hasta descubrirás que puedes oir el roce de las alas.

¿Qué te parece si ahora mismo lees Efesios 3:10?

«Para que la multiforme sabiduría de Dios sea ahora dada a conocer por medio de la iglesia a los principados y potestades en los lugares celestiales».

Dedica unos minutos para alabar a Dios, teniendo presente que hay quien escucha.

Capítulo dieciséis

Un lugar de confianza

«Muchas veces caí de rodillas
ante la agobiante convicción
de no tener otro lugar adonde ir.»
Abraham Lincoln

*E*ra una pequeña niña montando una yegua grande; todo estaba bien en el lindo mundo de Dios. Mi yegua andaba perezosa por la ribera del río. Me acosté poniendo mi estómago sobre su gran lomo, con los pies descalzos y los jeans arremangados en esa calurosa mañana de verano. Estiré la mano para tocar las ramas de los sauces, dejando que las hojas pasaran por mis dedos y estirando la rama para luego soltarla.

LUGAR:
El camino
Gorsuch Switch
a lo largo del
río Patapsco.
MOMENTO:
Verano de 1962.

Masticando una larga ramita, me deleité escuchando los lánguidos sonidos del verano... los pájaros en el bosque, los grillos en las rocas, el sonido del agua del río y una suave brisa que mecía las ramas de los sauces. Me detuve a observar a tres pescadores en la otra margen del río. El olor de las frías aguas se mezclaba con la fragancia del heno maduro recién cortado en los campos de Cauthorns.

De un salto me senté en la orilla mirando correr el agua verde. Mi yegua arrancaba pasto dulce, sacudiendo la cabeza para espantarse las moscas.

Me embargaba un profundo sentimiento de placer y satisfacción. Dios estaba en los cielos cuidando de mí y de mi yegua. En esa época, todavía no había confesado a Cristo, pero era una niña de una gran espiritualidad y le agradecí con la gratitud simple de un niño.

El me había dado el verano, la libertad, una familia feliz y una yegua buena por compañera.

Intuía que llegaría a conocer mejor a este Dios. Mi confianza comenzó a crecer.

***

Algunos años después mi amor por los caballos se hizo más serio. Comencé a entrenar caballos para salto y con frecuencia los hacía participar en diversos espectáculos de Maryland y Pennsylvania. Me lustraba las botas, limpiaba la montura y me almidonaba la camisa. Trabajaba mucho, pero no tanto como Auggie.

Mi caballo era un pura sangre; alto, delgado, de patas muy largas. Parecía un adolescente que todavía no ha alcanzado su altura completa. Auggie no tenía la mejor de las conformaciones, pero esas patas podían saltar las cercas más altas y anchas. Y en la arena era absolutamente obediente y confiable.

Cuando nos acercábamos al primer obstáculo, yo simplemente apretaba las rodillas contra la montura y él respondía como una luz. Iba a medio galope hacia la valla, con la cabeza en ángulo y la pasaba. Luego, yo lo colocaba en dirección a la segunda y la saltaba, y así varios saltos.

Para llevar a un caballo por una confusa serie de obstáculos hay que tenerle confianza, y tiene que ser obediente. A su vez, el caballo debe tener confianza en el jinete, sintiendo que este sabe lo que está haciendo. Sé lo que hay más adelante en el trayecto de Auggie, él no.

Confianza y obediencia. Guiando y dejándose guiar. Auggie y yo vivíamos nuestra relación en un lugar de confianza.

¿ESTAS ENFRENTANDO OBSTACULOS?

Para nosotros los humanos, el sendero de la vida que tenemos por delante con frecuencia nos parece como un increíble conjunto de vallas que tenemos que saltar. ¿Alguna vez te sentiste como si estuvieras en la pista, corriendo con todas tus fuerzas y sin saber qué sería lo próximo en aparecer? No podemos ver por encima del obstáculo, y debido a que es tan alto, no estamos seguros si siquiera queremos seguir adelante. Nos sentimos desobedientes. Sentimos que estamos corriendo fuera del curso de la vida.

Presta atención. La respuesta confiada de Auggie no pendía de su aprobación de la pista. Mi caballo no entendía de saltos. No tenía idea sobre grados de dificultad. Todo lo que él conocía era a mí.

¡Cuánto desearía ser como mi caballo! Isaías 1:3 dice: «El buey conoce a su dueño y el asno el pesebre de su señor; Israel no entiende, mi pueblo no tiene conocimiento».

¿Por qué será que no podemos confiar en Dios? Tal vez se deba a que no sabemos quién es Dios ni lo mucho que ha hecho por nosotros.

Mira qué confianza tenía Pablo en el Señor. En las escrituras, nunca leemos que Pablo hubiese dicho: entiendo por qué pasa esto, Señor y por ello te alabo.

No. Su alabanza era un sacrificio porque no sabía qué sería lo próximo por venir. Pablo confiaba y obedecía. El *no* sabía por qué pasaban las cosas, no sabía qué había más adelante o con qué dificultad se toparía, pero sabía en *quién* creía. «Por lo cual asimismo padezco esto; pero no me avergüenzo, porque yo sé a quién he creído, y estoy seguro que es poderoso para guardar mi depósito para aquel día» (2ª Timoteo 1:12).

Para Pablo, la razón suprema por la que podía alabar a Dios era, sencillamente, porque conocía a Jesús. El apóstol podía alabar al Señor porque Jesús había comprado su confianza en la cruz.

Y Jesús también había demostrado que El era digno de confianza.

CUANDO NO PUEDES VER
POR ENCIMA DEL OBSTACULO

Hace algunos años me escribió un hombre llamado Ted Smith, diciendo: «Muchos creyentes miran fijo a sus problemas y le dan un vistazo al Señor. Te sugiero que mires fijo al Señor y le des un vistazo a tus problemas». ¡Buen consejo! Muchos de nosotros nos concentramos en nuestros problemas –los obstáculos– y empezamos a medir la altura de la próxima valla. Haciendo eso, le damos de vez en cuando una mirada al Señor, solamente como para estar seguros que El está al tanto de las penurias que esos obstáculos nos están causando.

El problema radica en que el curso que Dios ha trazado para nosotros… ¡se ve tan difícil!… El perro desparramó la comida por todo el suelo de la cocina, tu marido te llamó para avisarte que viene tarde, la cacerola está hirviendo y la comida se está volcando, ensuciando todo a su alrededor. Los chicos están peleando en el cuarto de arriba. No te sorprendas de encontrarte allí parada con el repasador en la mano, los hombros caídos, turbada, sin saber qué hacer.

Elevas una silenciosa y obligada oración, mientras subes por la escalera para arbitrar en la discusión entre esos los hermanos.

¿Sabes de qué hablo? Suspiras frustrada mientras Dios simplemente toma nota de todo el alboroto.

Lo que se necesita aquí es algo más que una oración murmurada por obligación. Se necesita la actitud de Abraham Lincoln, cuando dijo: «Muchas veces caí de rodillas ante la agobiante convicción de no tener otro lugar adonde ir». Necesitamos un enfoque diferente.

Observa Hebreos 12:2,3:

«Puestos los ojos en Jesús, el autor y consumador de la fe, el cual por el gozo puesto delante de él sufrió la cruz, menospreciando el oprobio y se sentó a la diestra del trono de Dios.

»Considerad a aquel que sufrió tal contradicción de pecadores contra sí mismo, para que vuestro ánimo no se canse hasta desmayar.»

Verdaderamente, es cuestión de enfoque, ¿verdad? Mira a Jesús. El tuvo una pesada cruz que cargar, pero fijó su mirada en el gozo que tenía delante. Nosotros debemos hacer lo mismo.

¿Y qué pasa con la cacerola hirviendo, el piso de la cocina sucio y los muchachos gritando arriba? Todo eso no ha cambiado. Pero tu enfoque sí. No mires fijo a tus problemas mientras le das un vistazo al Señor. Fija tu mirada en el Señor, confía en El, y tus problemas no te harán desfallecer.

GANAR EL PRECIO

Auggie, mi hermoso caballo, me ha enseñado muchísimo acerca de cómo debo alabar a Dios. Después que terminaba la exhibición en la arena y El estaba sudoroso y echando espuma por la boca yo lo conducía al *paddock*. Con frecuencia, los jueces nos volvían a llamar a la arena. Mientras estábamos allí de pie frente a los jueces, Auggie solía sacudir la cabeza y golpear el piso impaciente con los cascos, hasta que alguna persona de gran importancia se nos acercaba... y me entregaba a mí el trofeo. Auggie había hecho todo el trabajo pero yo recibía los honores.

¿Ves la similitud? Tú y yo estamos siendo entrenados para confiar y obedecer. Esta aventura en la que estamos metidos es una creciente relación de confianza y obediencia entre nosotros y Aquel que tiene en sus manos las riendas de nuestra vida. Mientras estamos saltando el conjunto de obstáculos en esta vida, los ojos del juez están sobre nosotros. En el día final, cuando hayamos sido entrenados en piedad, el Señor Jesús vendrá hacia nosotros y nos entregará el premio. ¡Qué honor! La Biblia señala con claridad que tú y yo seremos para la gloria de Cristo. Presta atención a estos versículos en Efesios:

> «...habiéndonos predestinado para ser adoptados hijos suyos por medio de Jesucristo, según el puro afecto de su voluntad .... En él asimismo tuvimos herencia, habiendo sido predestinados conforme al propósito del que hace todas las cosas según el designio de su voluntad .... alumbrando los ojos de vuestro entendimiento, para que sepáis cual es la esperanza a que él os ha llamado, y cuáles las riquezas de la gloria de su herencia en los santos» (Efesios 1:5,11,18).

¿Lo ves? Recibimos la herencia de Cristo para darle la gloria a El. Todas las alabanzas están dirigidas al Señor Jesús. Seguramente que hacemos la mayor parte del trabajo aquí en la tierra, hay mucho entrenamiento y preparación. El trayecto es largo y complicado y, a veces, nos cansamos y nos preguntamos si verdaderamente vale la pena. Pero los ojos del juez están continuamente sobre nosotros. El ve nuestros éxitos y fracasos. Por todos nuestros esfuerzos, por todas las veces que fuimos obedientes, Jesús recibirá la gloria.

Cuando realices tus obligaciones cotidianas en el día de hoy, recuerda por quién estás haciendo lo que haces. Es para su gloria. Cuanto más obedezcas, más honores recibirá El.

Jesús se lleva toda la gloria... no hay mejor motivo para alabarlo.

TU LUGAR APARTADO...

Trata de enfocar ahora mismo tus pensamientos. Dedica un poco de tiempo para pensar en Hebreos 12:2-3:

> *«Puestos los ojos en Jesús, el autor y consumador de la fe, el cual por el gozo puesto delante de él sufrió la cruz, menospreciando el oprobio, y se sentó a la diestra del trono de Dios. Considerad a aquel que sufrió tal contradicción de pecadores contra sí mismo, para que vuestro ánimo no se canse hasta desmayar.»*

Quizás podrías escribir este versículo y colocarlo encima de la mesada de la cocina, en el tablero del auto o sobre tu escritorio. De esa forma, la vida se mantendrá en la dirección correcta.

Algo que me ayuda a mantener mi vida bien orientada es la doxología que tiene el himno de victoriosa alabanza de la iglesia. Si lo conoces, entónalo ahora mismo:

> *Alaba a Dios, de quien provienen todas las bendiciones,*
> *Alábenlo, todas las criaturas de la tierra.*
> *Alábenlo huestes celestiales.*
> *Alaben al Padre, al Hijo y al Espíritu Santo.*

Recueda esto la próxima vez que te enfrentes a los desafíos de la vida. Pon tu confianza en el Aquel que no falla.

Capítulo diecisiete

Un lugar de gloria

Quienes oran coronan a Dios
con el honor y la gloria debidos a su nombre,
y Dios corona a quienes oran con seguridad y solaz.
Thomas Benton Brooks

A veces me gusta pensar en mis oraciones de alabanza
como si fueran una o dos gotitas, las cuales caen en un
vasto océano de jubilosas adoracio-
nes que llegan a Dios a lo largo de
incontables generaciones. En otras
palabras, nuestra vida de oración
no es la única vida que toca el corazón de Dios.

LUGAR:
Catedral
de San Pablo,
Londres.
MOMENTO:
Junio de 1988.

Ken y yo llegamos a la Iglesia
de San Pablo un domingo a la tarde, a tiempo para el último servicio. Le dio mucho trabajo subirme
con la silla por las escaleras. Una vez adentro, me deslicé
lentamente por el pasillo central con la cabeza echada hacia
atrás para poder ver el cielorraso abovedado de la cúpula.

Los bancos de madera oscura estaban gastados de tantas décadas de lustre.

Nos sentamos en la apacible y fría catedral, cuando de pronto escuché el sonido de las grandes campanas. Los pocos que estábamos allí congregados para el servicio inclinamos la cabeza en respetuoso silencio, mientras orábamos en el santuario donde miles de santos habían adorado a lo largo de los siglos. Como en los días pasados, las velas iluminaban tenuemente el recinto, resaltando los rostros de los niños del coro. El coro entonó himnos gregorianos, una vieja y familiar armonía que había llenado las paredes de esa catedral por cientos de años. La fragancia de las flores que llenaba el santuario se mezclaba con el cálido olor de la cera derretida.

Fue en la catedral de San Pablo donde la gente había permanecido orando para estar a salvo cuando los azotó la peste negra. George Whitefield rogó allí por el alma de sus compatriotas. Quizás David Livingstone pidiera en ese lugar la bendición de Dios, antes de embarcarse en sus viajes misioneros. Reyes y reinas europeos se arrodillaron en San Pablo, lo mismo que altos dignatarios y hombres de estado. Es muy posible que los peregrinos y los pioneros que zarparan desde Inglaterra rumbo hacia América tuviesen amigos que oraron por su seguridad debajo de esas arcadas donde yo estaba sentada.

Al mirar el gran cielorraso lustrado, los pesados tapices y las estatuas grabadas en mármol, pensé en Hebreos 12:1: «Por tanto, nosotros también, teniendo en derredor nuestro tan grande nube de testigos, despojémonos de todo peso y del pecado que nos asedia y corramos con paciencia la carrera que tenemos por delante».

Al terminar el servicio pensé en todas las oraciones hechas por los cristianos que ahora están en las graderías del cielo. Ellos dieron el ejemplo y Dios usó sus oraciones para proteger su Palabra, avanzar con el Evangelio, fortalecer su Iglesia y enseñarnos a nosotros, hoy en día, el poder que hay en la oración y la alabanza. Pero «la gente que está en las gradas» no tienen que ser solamente los santos de antaño. Estos héroes de la fe pueden ser también nuestros vecinos, nuestros pastores, inclusive tú puedes ser un héroe espiritual. Tú puedes ser una persona en las gradas para alguien que está esperando ver a otro perseverar en la oración, tomando seriamente el llamado a la intercesión y creyendo poderosamente que la alabanza tiene poder.

*C*omparándola con Notre Dame, la catedral de San Pablo no es más que una resplandeciente iglesia nueva. Ken y yo nos paramos a cierta distancia de Notre Dame, como para ver mejor a este gigante medieval. Sus torres, oscurecidas por tantos siglos de humo y aire sucio, se ciernen sobre el impecable cielo primaveral parisino.

Le pedí a Ken que me pusiera al lado de la estatua de Carlomagno a caballo, mientras él buscaba un buen ángulo para las fotografías.

LUGAR:
*La catedral
de Notre Dame,
Paris*
MOMENTO:
Mayo de 1993

Una mujer de piel oscura y pañuelo en la cabeza vendía lavanda en un carrito cercano. A corta distancia había un grupito mirando la representación de unos mimos. Bañados por el sol de la tarde, se veían los árboles de manzanas con sus brotes rosados y blancos a lo largo del fluyente Sena.

Volviendo a mirar la antigua catedral, pensé qué gloriosa es la Iglesia de Cristo por haber permanecido a lo largo de toda la historia. Por cientos de años, la catedral ha sido un silencioso testigo de plagas, intrigas, la sangrienta revolución francesa y los bombardeos de Hitler. La catedral ha visto, inmutable, cómo vinieron y se fueron el Renacimiento y la Edad de Oro. Subieron reinos y desaparecieron.

Estallaron guerras y terminaron. Notre Dame estaba allí cuando Napoleón tuvo su Waterloo. Antes de la primera guerra mundial, los atemorizados soldados destinados al frente de combate se arrodillaron en sus profundidades rogando a Dios para que derramara su misericordia y protección. Las figuras en piedra de los mártires de la Iglesia habían visto pasar campesinos y reyes, comerciantes y presidentes, criadas de granja y enjoyadas aristócratas.

Me conmoví, lo mismo que en San Pablo en otro día de primavera. No era el edificio lo que me impresionaba sino el pensar que la Iglesia de Cristo *perdura*, mientras los vientos de la historia van hacia su finalización. Las puertas del infierno no prevalecieron contra ella. Yo soy solo una vocecita en el inmenso coro de los siglos. Mi canción de alabanza se mezcla con la voz de millones de voces de cada rincón de la tierra, de cada nación, cada siglo. El himno de alabanza ha sido elevado para la gloria de Dios a lo largo de los milenios, y tú y yo nos hemos unido a él.

Somos los hilos más recientes en el largo y hermoso tapiz, tejido por una mano que está más allá del tiempo. Para El, cada pequeño punto en el tejido del tapiz es parte importante del todo. Y cada hilito es infinitamente precioso. Cada designio contribuye para la gloria trascendente.

LA GLORIA AL ALCANCE DE LA MANO

«Gloria».

Es una de esas palabra descollantes, encumbradas, ¿verdad? Es difícil de visualizar o de enfocar. El significado está tan cargado de peso que no podemos abarcarlo, o está tan por encima de nuestra cabeza que no lo podemos alcanzar.

Oímos a la gente hablar de la gracia de Dios, la justicia, la redención y la gloria, y movemos la cabeza. Claro, todas esas cosas son importantes, pero a veces, el significado parece un poquito... bueno..., *distante* de nuestra realidad cotidiana. ¿Qué tiene que hacer la gloria de Dios con terminar una tarea para la escuela, cambiarle el aceite al auto o doblar la ropa limpia?

En una época sentía que la «gloria» debía significar una especie de radiación cósmica o una luz enceguecedora. Imágenes de la antigua Belén se asomaban a mi mente, reproduciendo seres celestiales en la oscuridad de la noche, clamando: «¡Gloria a Dios en las alturas!»

En épocas recientes aprendí que la «gloria» estaba mucho más cerca que eso. Muchísimo más.

Aprendí que gloria es lo que Dios es. Su ser en esencia. Siempre que te refieres a su carácter o atributos, tales como santidad, amor, compasión, justicia, verdad o misericordia, esa es la gloria de Dios. Y cuando El se revela a sí mismo en cualquiera de esas cualidades, decimos que El se «glorifica a sí mismo».

En tiempos pasados, El reveló esas cualidades suyas, tanto a la gente como a los lugares. Y todavía lo hace. No hace mucho entré a casa de una amiga e inmediatamente sentí la gloria de Dios. Esa impresión no fue ningún *delirium tremens* ni ningún instinto super espiritual. Y no tiene nada que ver con algunas leyendas cristianas colgadas en los pasillos. Había una paz y un orden que saturaban ese hogar. Había alegría y música en el aire. Aunque los niños eran normales, jóvenes activos, sus tareas parecían ensamblarse unas con otras dando la impresión que la casa tenía dirección, que los muchachos se preocupaban realmente el uno por el otro, que los padres ponían el amor en acción.

Nosotras mismas no pasamos mucho tiempo «confraternizando» en el mejor sentido de la palabra... –como hablando de la Biblia u orando juntas. Nos reímos mucho y nos escuchamos la una a la otra. Abrimos nuestros corazones como miembros de la misma familia.

Después de cenar, me retiré vivificada de esa casa. Era un lugar donde el ser esencial de Dios estaba desplegado. Su bondad, su amor, su justicia. Era un lugar de gloria.

¿Cómo podemos tú y yo glorificar a Dios? Sucede cada

vez que revelamos sus atributos en el transcurso de nuestro día. Sucede cada vez que compartes la buena noticia de Cristo con alguien, cada vez que muestras paciencia en medio de una perturbación o problema, cada vez que te sonríes sinceramente u ofreces una palabra de aliento. Cuando los que te rodean ven el carácter de Dios desplegado en tus actitudes y respuestas, entonces lo que estás haciendo es desplegar su gloria.

Ya ves, la gloria de Dios no está reservada para una gran catedral o una vista celestial resplandeciente. Puede brillar claramente cuando cambias un neumático en la carretera... o aconsejando a un enojado compañero de trabajo... o acostado en una cama de hospital... o acunando en brazos a dos bebés llorosos en la guardería de la iglesia.

Tan conmovedor como esto, Pablo tiene noticias que todavía son válidas: «Por tanto, nosotros todos, mirando a cara descubierta como en un espejo la gloria del Señor, somos transformados de gloria en gloria en la misma imagen, como por el Espíritu del Señor» (2ª Corintios 3:18).

Lo que Pablo está diciendo es que cuanto más miremos al Señor Jesús a lo largo de las horas de nuestras vidas, más nos pareceremos a El. Cuanto más tiempo invirtamos alabando su precioso nombre, más permanente será en nosotros su belleza.

UN DULCE RECORDATORIO DE JESUS

Nuestra sencilla oración deleita al Señor del universo. ¿Te imaginas? Tú y yo podemos mover el corazón del admirable y eterno Dios. Lee este versículo e imagínate la sonrisa de Dios: «He aquí mi siervo, yo le sostendré; mi escogido, en quien mi alma tiene contentamiento» (Isaías 42:1a). Y también: «...el amor de Jehová estará en ti .... y como el gozo del esposo con la esposa, así se gozará contigo el Dios tuyo» (Isaías 62:4-5).

¡Qué privilegio es darle gozo a Dios! La siguiente ilustración ayudará a entender lo que estoy diciendo.

Me gustan los días fríos cuando puedo sentir el olor del humo de la chimenea de algún vecino, o puedo sacar la cabeza por la ventana del dormitorio, hacer una profunda inhalación y casi saborear la fragancia a pino proveniente de los bosquecillos del otro lado de la cerca. Me gusta sentir el fresco aroma de la ropa lavada cuando está colgada en la soga.

De hecho, actualmente, el olor de cierta marca de detergente me trae vívidos recuerdos de las camisetas de papá y los buenos momentos en que ayudaba a mamá a doblar las aromáticas toallas. Las fragancias traen lindos recuerdos a la mente. Creo que esa es la razón por la cual la industria del perfume produce ganancias millonarias. Los expertos perfumistas saben que el olor fugaz de *English Leather* o la fragancia de *Chanel No. 5* pueden traernos a la memoria hermosos recuerdos.

Asimismo, la palabra de Dios conoce el poder del perfume desde mucho antes que los ingenieros químicos de Revlon. En 2ª Corintios 2:14 Pablo escribió: «Mas a Dios gracias, el cual nos lleva siempre en triunfo en Cristo Jesús, y por medio de nosotros manifiesta en todo lugar el olor de su conocimiento».

Esa idea fue tomada prestada de los antiguos desfiles romanos de victoria. El apóstol Pablo se compara a sí mismo primero, con uno de los prisioneros atados con largas cadenas a la carroza del conquistador; luego, con un siervo presentando incienso, y luego con el incienso mismo, elevándose en la triunfante procesión.

Pablo sabía el poder existente en una fragancia. Era como si estuviese diciendo: he decidido vivir para recordarle perpetuamente a Dios el sacrificio, la obediencia y la devoción del Señor Jesús. Quiero que mis palabras y hechos le traigan a Dios a la mente aquellos maravillosos y similares recuerdos de la vida terrenal de Jesús.

¿No es un pensamiento glorioso? Tus oraciones, como todo acto de servicio, se elevan como aroma agradable, como sacrificio fragante que complace a Dios (Filipenses 4:18). Y esa fragancia de tus oraciones es un recordatorio al Padre del sacrificio de olor grato de su Hijo (Efesios 5:2). Tus oraciones hacen sonreír a Dios.

A Dios sea la gloria

Imagínate a ti en ese gran día que aún está por venir. «Porque es necesario que todos nosotros comparezcamos ante el tribunal de Cristo, para que cada uno reciba según lo que haya hecho mientras estaba en el cuerpo, sea bueno o malo» (2ª Corintios 5:10).

Es tu turno. Jesús mira los libros, te sonríe y te dice: «Bien, buen siervo fiel; sobre poco has sido fiel, sobre mucho te pondré» (Mateo 25:21), y te da una corona. Tal vez algunas coronas. La corona que perdura (1ª Corintios 9:25-27), la corona de gozo (1ª Tesalonicenses 2:19-20), la corona de justicia (2ª Timoteo 4:8), la corona de la vida (Santiago 1:12) y la corona de gloria (1ª Pedro 5:2-4).

Tú sientes la pesada diadema, la tomas y le pasas los dedos por encima. No puedes creer que la corona esté realmente en tus manos. Mientras estás allí, de pie, otros santos se unen y se arrodillan ante el Rey de reyes para poner sus coronas a sus pies (Apocalipsis 4:4, 10). ¿Qué te ves haciendo? ¿Aprietas la corona contra tu pecho o te postras de rodillas y se la presentas a tu Dios y Salvador, con lágrimas de gozo en tus ojos?

Ese día se acerca. ¿Por qué esperar hasta la eternidad para conocer al Señor íntimamente? ¿Por qué postergar hasta el juicio ante el tribunal de Cristo para ofrecerle alabanzas? Tienes una invitación abierta para entrar al corazón de Dios por medio de la oración y la alabanza hoy mismo. La oración es tu punto de contacto con el Señor del universo. La oración es una inversión en las glorias celestiales de arriba, como las coronas.

Tú puedes encontrar un lugar apartado de la locura de este mundo en que vivimos. Puedes encontrar un refugio para cambiar tu vida mientras te acercas a tu Dios en oración y alabanza. El te oye. El te ama, y El se encuentra contigo en tu lugar de necesidad... dondequiera que estés.

Tu lugar apartado...

Recuerda siempre que tienes la oportunidad de comunicarte íntimamente y personalmente con el Hijo de Dios por medio de la oración. Pero la oración, como cualquier otro medio de comunicación, es algo que deseas hacer con alguien que conoces. Si tú no conoces al Señor Jesús, puedes conocerlo en este mismo momento, haciendo una sencilla oración como esta:

Querido Señor Jesús: me doy cuenta que he vivido lejos de ti y sé que el pecado ha sido la barrera de separación entre nosotros. Por favor, ven a mi corazón, mi mente y mi espíritu. Padre, por medio de tu perdón hazme la persona que tú quieres que sea. Perdóname por haberme apartado de ti. Dame la fuerza para seguir tu invitación al mismo tiempo que te invito a ti a ser el Señor de mi vida. Gracias por la diferencia que el Señor Jesús hará en mí. Amén.

Anexo

Preguntas para grupos de discusión

Capítulo 1: *Un lugar de búsqueda*

1. ¿Qué significa buscar a Dios con todo tu corazón y con toda tu alma? ¿Cómo se lo explicarías a un nuevo creyente?

2. Usualmente, ¿cómo preparas tu corazón para orar? ¿Cómo se lo explicarías a alguien que quiere preparar su corazón para la oración?

3. ¿Cuándo te resulta difícil orar con honestidad? ¿Qué te ayudaría a ser más honesto con Dios?

4. ¿Qué admiras en la reacción de Job cuando tuvo la crisis? ¿Qué puedes hacer tú para que tu oración se parezca más a la suya?

5. ¿Cuáles son algunas de las barreras, hechos, sentimientos o circunstancias que te condicionan para no preparar tu corazón para orar? ¿Cómo puedes vencerlos?

6. ¿Cómo está tu vida de oración y alabanza? ¿Qué te gustaría mejorar en tu alabanza y oración?

Capítulo 2: *Un lugar de refugio*

1. ¿Qué fue lo que dejó a David tan pasmado ante la grandeza de la majestad de Dios (Salmo 8) y, a pesar de ello, atraído hacia la seguridad del Señor como refugio cálido?
2. Siendo niño, ¿qué te daba sensación de seguridad (las mantas, los animales, etc.)? ¿Qué te brinda seguridad actualmente?
3. ¿Qué posibles crisis futuras podrían minar tu seguridad y aterrorizarte?
4. ¿Cómo podría ayudarte la oración para que te sintieras seguro y a salvo?
5. ¿En qué situaciones te sientes frecuentemente pequeño e insignificante? ¿Cómo puede la oración hacerte sentir pequeño e importante a la vez?
6. ¿Cuándo necesitas un refugio, un lugar que te proteja y te haga sentir a salvo?
7. ¿De qué manera Dios es tu refugio? ¿Cómo te coloca la oración en la «casa segura de Dios»?

Capítulo 3: *Un lugar de reverencia*

1. Dios es nuestro Padre..., pero también es el Rey del universo. ¿Cómo equilibramos estas dos verdades cuando nos acercamos a Dios en oración?
2. ¿Qué ejemplos podemos dar de oraciones descuidadas? ¿De qué otra manera somos tan informales en nuestra relación con Dios?
3. ¿Qué significa estar «apropiadamente temeroso» ante el Señor? ¿Por qué la oración es algo tan importante?

4. ¿Cómo han ido cambiando tus oraciones a medida que has crecido en la fe?
5. ¿Cómo puedes acercarte a Dios con confianza y con reverencia a la vez?
6. ¿Qué es lo que puede ayudarte a orar con reverencia?

Capítulo 4: *Un lugar de polvo y cenizas*

1. ¿Cuáles son los sentimientos de culpa que a veces te impiden orar?
2. ¿Cuándo has sentido miedo de orar? ¿De qué tenías miedo?
3. ¿Qué has hecho para derribar las barreras?
4. ¿Qué significado tiene para ti el humillarse al orar? ¿De qué manera te ayuda orar cuando lo haces con una actitud humilde?
5. ¿Cuáles son los atributos de Dios que te ayudan a mantener una actitud humilde al orar?
6. ¿Orarías de manera diferente si verdaderamente te humillaras ante Dios?

Capítulo 5: *Un lugar de petición*

1. ¿Qué respuestas específicas a la oración están impresas en tu memoria? ¿Qué respuestas específicas a la oración has recibido recientemente?
2. ¿Cuál es la oración que estás haciendo de manera general? ¿La harías más específica? ¿Cuándo las oraciones llegan a ser *excesivamente* específicas?
3. ¿Qué quiere decir «pelear con Dios» al orar? ¿Cuáles son los beneficios que trae el persistir en la oración?
4. ¿Cuándo has peleado con Dios al orar? ¿Cómo te cambió Dios en el proceso? ¿Cómo contestó Dios tu oración?

Capítulo 6: *Un lugar de disciplina*

1. ¿Cómo identificas algunas pequeñas disciplinas en tu vida de oración, las que puedan llevarte a disciplinas más largas y significativas?
2. ¿En qué sentidos la oración es como el arte y la música?
3. ¿Cuál es el trabajo difícil que está involucrado en la oración? ¿Qué es lo que tú debes practicar?
4. Por lo que has leído hasta ahora, ¿qué es un guerrero de oración? ¿Qué impide que tú seas uno?
5. ¿Qué deberías hacer para disciplinarte más al orar?

Capítulo 7: *Un lugar para escuchar*

1. Lee nuevamente la conmovedora historia del joven Samuel cuando se encontró con Dios (1° Samuel 3). ¿Qué has aprendido acerca de lo que significa «escuchar a Dios»?
2. Identifica los momentos en un día normal (si es que eso existe), cuando cambias varias veces de actividades. ¿Cómo el escuchar a Dios puede llegar a formar parte de ese activo proceso de cambio?
3. ¿Qué recursos externos te ayudarían para enfocar nuevamente tu atención en el Señor y escuchar su voz?
4. ¿Cuál es la importancia de una repuesta *inmediata* a la vocecita serena del Señor cuando nos damos cuenta que El nos habla?

Capítulo 8: *Un lugar para exponer tu caso*

1. ¿Qué tienen de bueno y qué de malo las argumentaciones?
2. ¿En qué momento sientes que estás argumentando con Dios? ¿Cómo pueden los argumentos mejorar tus oraciones?
3. ¿En qué se diferencia el hablar, conversar, argumentar y orar?
4. ¿Por qué es de ayuda al orar exponer las razones?
5. ¿Cómo puede afectar tu oración el reafirmar los motivos de tu petición?

Capítulo 9: *Un lugar para asirse*

1. ¿Cuáles son los atributos de Dios que podrías mencionar sin pensar?
2. De todos los atributos de Dios, ¿de cuáles dependes más?
3. ¿Cuál es el atributo de Dios que prefieres? ¿Cómo lo acomodas a tu vida de oración?
4. ¿Cómo te ayuda, en los momentos difíciles, el mantener presente la fidelidad de Dios?
5. ¿Cómo pueden ser usados los atributos de Dios como un gran ariete en la oración?
6. ¿Qué deberías hacer para fortalecerte en la oración?

Capítulo 10: *Un lugar de promesa*

1. ¿Alguna vez alguien te desilusionó por no cumplir su promesa?
2. ¿Cómo sabemos que Dios siempre cumple sus promesas?

3. ¿Cómo te demostró Dios su fidelidad en el pasado? ¿Cómo afecta tu vida y tus oraciones el saber que Dios es fiel?
4. ¿Qué promesa bíblica en particular ha sido especialmente significativa para ti? ¿De qué manera te ha sido de ayuda?
5. ¿Cómo afectará tu manera de orar, de ahora en adelante, el hecho de saber que Dios siempre cumple sus promesas?

Capítulo 11: *Un lugar sin palabras*

1. ¿Cuándo fue que estuviste con alguien que estaba sufriendo y no supiste qué decirle?
2. ¿Por qué es tan difícil volver ante Dios con tus sentimientos más profundos?
3. ¿Cómo se sienten los padres amantes cuando su hijo necesita algo y él no sabe cómo pedírselo? ¿En qué se asemeja esto a la manera en que Dios oye nuestro sufrimiento?
4. Sabiendo que Dios nos escucha y nos comprende cuando no tenemos palabras para expresarnos, ¿cómo deberíamos orar?
5. ¿Cómo serías capaz de compartir tus sentimientos con Dios cuando no puedes expresarlos con palabras?

Capítulo 12: *Un lugar para el nombre de Jesús*

1. ¿Alguna vez oraste de una manera y Dios te respondió de otra?
2. ¿Alguna vez oraste por sanidad con sincera y genuina fe, pero no pasó nada? ¿Cuál es la respuesta que crees haber recibido realmente?

3. ¿De qué manera el sufrimiento y la desilusión son una manera en que Dios responde a la oración?
4. ¿Qué es para ti la plenitud de gozo? ¿Cuándo sentiste un gozo inefable? ¿En qué se diferencia el gozo de la paz y la felicidad?
5. ¿Cómo puedes orar de acuerdo al carácter y la vida de Jesús?
6. ¿Qué significa para ti, realmente, orar en el nombre de Jesús?

Capítulo 13: *Un lugar de alabanza*

1. ¿De qué manera es más poderosa la alabanza cuando se eleva en medio de circunstancias oscuras y frustrantes?
2. ¿Qué es la genuina alabanza?
3. ¿Cuáles son los motivos por los que puedes alabar a Dios?
4. ¿Qué palabra describe mejor a cada una de las personas de la Trinidad?
5. Alaba a una persona a quien amas. Luego has lo mismo con Jesús.
6. ¿Qué te ha enseñado este capítulo acerca de alabar a Dios?

Capítulo 14: *Un lugar de sacrificio*

1. ¿Qué sacrificio hay en alabar a Dios cuando no tienes ganas de hacerlo?
2. ¿Cómo describirías la diferencia entre alabar a Dios sin gozo, y bendecir y alabar a Dios sin dolores ni penas?

3. ¿Cuál es la diferencia entre alabar a Dios *en* una mala situación y agradecerle *por* estar en una mala situación?

4. ¿Cómo nos ayuda la oración para sobreponernos a los problemas?

5. ¿Qué te molesta de ser un sacrificio vivo? ¿Qué pensamientos te dan paz acerca de ello?

Capítulo 15: *Un lugar de victoria*

1. Piensa en un amigo que mantenga una relación estrecha con Dios. ¿Qué notas o qué has aprendido de esa persona acerca de la oración?

2. ¿Cuándo es adecuado alabar a Dios y cuándo no, al estar en pleno conflicto?

3. ¿En qué sentido la alabanza es como un arma? ¿Contra quién hay que usarla?

4. ¿Cómo nos ayuda la alabanza a triunfar en nuestra vida cristiana?

5. ¿Cuál es la diferencia entre alabanza y confesión?

6. ¿Por qué cosas podrías alabar a Dios en este preciso momento?

Capítulo 16: *Un lugar de confianza*

1. ¿Cuál era una de las actividades preferidas en tu niñez, la cual practicabas con tenacidad (fútbol, piano, danzas, criar algún animal, natación, ajedrez, etc.)? ¿Qué perspectiva le da esto a tu oración?

2. ¿Cuándo has encarado un obstáculo en la vida que te impedía ver más allá de él?

3. ¿Cuándo es el peor momento del día o de la semana para ti? ¿Cómo puedes hacer para centrar tus pensamientos en Cristo en ese momento, para ayudarte a sobrellevarlo?

4. ¿Cuáles son los obstáculos más grandes con que te enfrentas a diario? ¿Cómo puedes centrar tus pensamientos en Jesús cuando te acercas a El?

5. ¿Qué puedes hacer para cambiar tu enfoque?

Capítulo 17: *Un lugar de gloria*

1. A lo largo de tu caminar cristiano, ¿cuál ha sido la experiencia más sobresaliente de adoración? ¿Dónde fue y qué lo hizo memorable?

2. Cuando piensas en alguien que te está mirando «desde las gradas», ¿en quién piensas (ya sea vivo o muerto)? ¿Cómo te motiva eso?

3. Imagínate enfrentado con Dios cara a cara. ¿Qué sería lo primero que quisieras decir o hacer? ¿Por qué no lo haces ahora?

4. ¿Cómo te ha ayudado este libro a encontrar tu lugar «apartado» de la locura de este mundo?

Acerca de la autora

Joni Eareckson Tada es fundadora y presidenta del ministerio JAF, una organización cristiana que une a la iglesia con gente discapacitada por medio de la evangelización, la educación y el estímulo.

Si usted o alguien que usted conoce podría beneficiarse con este ministerio, puede escribirle a Joni a:

JAF Ministries
P.O. Box 333
Agoura Hills, CA 91301